はてなちゃん

分からないって楽しい。

はてなくん

装丁・デザイン　ヤマダクミコ

こどもと大人の
てつがくじかん

てつがくするとはどういうことか？

犬てつ＝犬山×こども×大人×てつがく×対話

犬てつって、君にとってどんな場所？

みんなのいる意味を感じるところ。
あたらしい世界に踏み出せる場所。

こ
イ
も
ど
の
と
大
く
つ
ん
か
ん
が
ぐ

contents

第二章 てつがくするとはどういうことか?

はじめに

こどもと大人が対話する場である「犬てつ（犬山×こども×大人×てつがく×対話）」。本書は「犬てつ」で行われたてつがく対話の三年間の記録をまとめたものです。

愛知と岐阜の県境、悠々と流れる木曽川のほとりにある愛知県犬山市という町で、犬てつは生まれました。ドイツのライン川にもなぞらえられた景観をもち、木曽川を望む小高い山に日本最古の天守をもつ犬山城が鎮座する城下町・犬山。名古屋にも電車で30分という場所にありながら、自然に囲まれた環境に各地から人が集まり、この土地ならではのコミュニティが作られています。

犬てつが活動をはじめたのは2017年。今では「てつがく対話」はNHK Eテレの番組や学校の授業にも取り入れられるなど認知度もあがりましたが、当時はまだ一般にはほとんど知られていませんでした。犬てつの三年間にわたる実践のつぶさな記録では、てつがく対話についてまったく知らないこどもと大人たちが、手探りながらの対話を通じて、問い、考え、聴き、問い返されるという繰り返しのなかで、自分とは違う意見をもった他者や、新たな自分を見出して、対話の楽しさや深さ、難しさに目覚めていく様子が浮彫りになっています。

てつがく対話はこどもの思考力を高めるものとして注目も集めていますが、犬てつでの実践はそうした狭義の教育的な要素を目的とするものではありません。こどもも大人もともに考えることを通じて思考の自由（それは往々にして不自由を発見することでもありますが）を獲得しようとするものです。そのため、思考に直接関係あるとされる言葉だけに限らない、「触る」「聴く」「見る」という身体性にフォーカスした対話も行ってきました。

「てつがくすること」「対話すること」を通じて、他者がともに考えを分かち合う。そして、そこにさらに「こども」という、言葉がいまだ不十分であるからこそ、自在で、身体的な感覚や想像力を鋭敏に研ぎ澄ませた媒介者がいることで、大人だけの対話とはまた一味違う、本質への跳躍が果敢に繰り広げられるような対話がひらかれていきます。本書はこどもと大人がたがいの意見に耳を澄まし、ともに考え、対話するかけがえのない時間をとらえた、これまでになかったようなドキュメントです。

さらに、この「てつがくすること」をより広い視点から考えるため、第一線で活躍する四人の哲学プラクティショナーたちに、「てつがくするとはどういうことか?」についての論考を寄せていただきました。一人ひとりのなかにある小さな哲学の声を聞き取り、他者にとっての他者である自己をみつけ、自分の生きている基盤を問い直す。てつがくすることに真摯に向き合った、それぞれの「てつがくする」あり方が見えてきます。

犬てつは、こどもと大人が一緒になって、てつがく対話を通じて、自分たちが今生きる土台をともに考えようとする試みです。それは新たな未来を創りだすための第一歩になる。本書はそんな希望をもって続けてきた犬てつの、実践の記録です。

photo by Yosaku Minatani

「犬てつ」という冒険はじまりの物語/ミナタニアキ

犬てつ 主宰

木曽川の沿道に満開の桜が立ち並び、小高い山の上に小さな城が鎮座している。車で通りがかったそんな風情がありつつも、ちょっと寂れかけたような町に一目ぼれして、その約一年後に移り住むことになった。娘が生まれるちょうど1か月前。それまでまったく縁もゆかりもなかった犬山という町に東京から移り住み、今ではもう11年が経った。

てつがく対話をやりたいという考えが突然降ってわいたわけではない。私がやりたいと思っているのは、どうやらてつがく対話というものに近しいようだ。そう気づくまでにそれなりの時間がかかった。

2011年。3月11日を契機に当たり前と思っていたことの土台が崩れ、何が正しいのかもよくわからないなか、一つひとつ考えながら、身近な営みを丁寧に積み重ねていくしかないという想いがつのった。それも、できれば一人ではなく、周りの人と一緒がいい。

2012年。せんだいメディアテークで「考えるテーブル」※1の志賀理江子さんのアーティストトークに参加した。震災後のせんだいメディアテークでは、人々がそれぞれの問いや喪失を抱えながら、集い、語り、手探りで前に進もうとする様々な活動が行われていた。そのときの会場の一隅に、たくさんの言葉が書き留められた「てつがくカフェ」の記録があった。当時は「てつがくカフェ」という言葉も聞いたことはなかったが、何か気になるものとして記憶の片隅に残り続けた。

2013年。中日新聞の「時のおもり」の連載で、鷲田清一さんが哲学カフェについてこう記していた。

“何か共通の土壌をつくってからでしか本題に入れない、いわばコンテクスト過剰な「察しあう」コミュニケーション文化よりも、これからの社会では、それぞれに価値観を異にしたまま、よく考えたうえで口にされる他人の異なる思いや考えにこれまたよく耳を澄ますことで、じぶんの考えを再点検してゆくこと、そのようにして視野を拡げながら個々に社会運営に参加してゆくことが重要になると考え、そのトレーニングの場として哲学カフェを設定してきた。”※2

鷲田さんはそれを「デモクラシーのレッスン？」とも記しているが、そうしたトレーニングやレッスンの場となるような「哲学カフェ」とは、一体どんなものなのだろう？哲学カフェへのアンテナが少しずつ張られ、想いは温められていった。

そして、2016年秋。娘が小学校に入学して手が離れてきたのをきっかけに、そろそろこの想いを実現しようと心に決めた。でも、近くで気軽に参加できそうなところは見当たらない。では、自分ではじめればどうだろう？その間、こどもはどうする？　こどもも一緒にできるやり方を考えればいいじゃないか。そうしたひらめきと決断のなか、こどもと大人のてつがく対話「犬てつ」の構想がむくむくと立ちあがった。

遡ること数年前、こどもの保育園つながりの親友を中心に、親子のふれあい活動を行う市民活動団体を立ち上げて、名古屋から犬山に先生を呼んできた。これは小さいイベントながらも私にとって重要な経験だった。東京にいたときは、欲しい情報やイベントはすぐ手の届くところにあり、興味のあることには、自分が出向くものだと考えていた。ところが地方住まいの小さい子連れとなると、なかなか出歩くのもままならない。ならば地元で興味のある人を募って、講師のほうに来てもらおう。これは大きな発想の転換で、犬てつもこの団体の活動の一つとしてスタートを切ることにした。（ただし、二年目からは「犬てつ」独自で市民活動団体を立ち上げた。）

器が決まったところで次はてつがく対話の進行役だ。「こどもの哲学」※3に定評のある「こども哲学・おとな哲学　アーダコーダ」さん※4と、「てつがくカフェ」※5の草分け的な存在「カフェフィロ」さん※6が進行役を派遣しているというので、まずは連絡をとってみる。だが、進行役に遠方から来てもらうのは交通費だけでも大変だということで、両者からそれぞれ紹介してもらったのが、こども哲学を中心とした対話教育を行っているという安本志帆さんと、椙山女学園大学で教鞭をとるカフェフィロ副代表の三浦隆宏さんだ。両者とも名古屋に住んでいるとのことで早速連絡をとり、犬山でこどもと大人を対象としたてつがく対話の場を定期的に開きたいという話をしたところ、進行役を快諾してもらえることになった。

こうして「犬てつ」は始動する。そこで行われたてつがく対話をまとめたのが本書のレポートだ。てつがく対話という場で何が起こっているのか知りたい一心で、対話の後は毎回録音を聴きなおし、かなりの時間をかけてレポートにまとめてきた。そうすることで、参加者としては見えていなかった出来事や、聴けていなかった言葉が浮かび上がってくる。こどもたちが思いつきで口にしたように思える言葉も、前にあった小さな発言につながっていたり、いろんな糸が縒りあわさったものだということがわかってくる。

回数を重ねるにつれて、レポートの書き方も変わってきた。はじめは要点をまとめたり、俯瞰的な立場から解釈を加えたりといった書き方をしていたが(今振り返ってみると、最初はてつがく対話はこうあるべきといった考えにとらわれていた節もある)、次第に対話自体も深まりを見せはじめ、私自身の対話への理解も増すことで、参加者の発言に信頼を置いた、発話を中心とした記述に変化していく。さらに、一般に広く発信することを念頭に、公的な場ではあまり使ったことのない口語体を使ってみるなど、私にとってレポートは新たな書法の実験場でもあった。次第にスタイルもできてくるが、人に伝わりやすい文章とは何かを考える過程は、てつがく対話における人に伝える行為と重なるところがあったように思う。そうしたてつがく対話にはじめてふれた参与観察者(?)としての変化の様子も留めおこうと、拙いところも散見されるが、レポートを大幅に改変することはやめておいた。

犬てつをはじめたとき、これがこんなに広がりのある活動になるとは考えてもいなかった。犬山だけでなく近隣や遠方から様々なバックグラウンドをもつ参加者が足を運んでくれ、いつも違った風を吹き込んでくれた。他団体と協力してコラボ企画を立てたり、東海地方のてつがく対話に関心のある人たちをゆるやかにつなぐ「哲学横丁なごや」※7に加わったりなど、犬てつによってつながった縁は数えきれない。さらに、犬てつに参加した人たちが、今度は自分たちの身のまわりでも対話の場を開くなど、新たな活動も芽生えている※8。

わたしたちは他者と対話し、協働する術をあまりにも学んでこなかった。犬てつではこどもを媒介に、世界にいつもとは違うまなざしを向け、当たり前と思っていたことを問い直し、ともに考えるとはどういうことかを一から丁寧に考える機会がもてた。その試みは三年目を迎える頃には、自由や民主主義の本質を問うような対話にも必然的につながっていく。

犬てつはこどもと大人が一緒になってはじめた冒険のようなものだ。この冒険の書をより多くの人とわかちあうことで、身近な場所から少しずつ対話の輪が広がっていけばと思う。そうすればきっともっと、わたしたちは勇気をもって未知の世界に対峙することができる。

※1　「考えるテーブル」はせんだいメディアテークを拠点に、様々な協働団体やメディアテークがホストをつとめ、黒板に仕立てたテーブルをメディアとして、震災復興や地域社会、表現活動についてライブで語り合う対話の場。2011年の震災直後からはじまり、レクチャーやてつがく対話、市民団体との協働プロジェクト、3.11定点観測写真アーカイブなど様々な試みが行われてきた。

※2　鷲田清一「哲学カフェと釜ヶ崎　境遇問わぬ対等な対話」『中日新聞』2013年9月4日

※3　「こどもの哲学(philosophy for children 略してp4c)」は、1960年代末に当時コロンビア大学の哲学教授であったマシュー・リップマンが、小中高校生を対象に学校で哲学対話を行う教育活動としてはじめたもの。集団での対話を通じ、互いに学びあう探求のコミュニティを作ることで、こどもたちが自分で思考し、反省的で理性的な姿勢を育てることを目的とした。ハワイではセーフティーなコミュニティづくりを重視した独自の発展を遂げるなど、世界各地で主に教育現場を中心に様々な実践が行われている。

※4　「こども哲学・おとな哲学アーダコーダ」は哲学対話を実践し普及する事業を通じて、こどもとおとなの対話する力と考える力の向上に貢献することを目的に2014年から活動しているNPO法人。2016年1月に未就学児と哲学する「こども哲学教室」を逗子ではじめ、一年間の活動を記録したドキュメンタリー映画「こども哲学　－アーダコーダのじかん」(2017年)を発表。著書に『こども哲学ハンドブック　自由に考え、自由に話す場のつくり方』(アーダコーダ著、アルパカ、2019年)。

※5　「哲学カフェ」は哲学者マルク・ソーテがフランス・パリのカフェで1992年に行ったものがはじめとされる。誰もが自由に出入りできるカフェなどの場所で、進行役とともに参加者同士が特定のテーマやさまざまな問いについてじっくりと話しあう営みとして、その後世界中に広まった。

※6　「カフェフィロ」は鷲田清一氏らが発足させた大阪大学臨床哲学研究室の関係者が中心となって、社会のなかでの哲学対話実践やその支援を目的に2005年に創設された団体。編著に『哲学カフェのつくりかた (シリーズ臨床哲学) 』(カフェフィロ編、大阪大学出版会、2014年)。

※7　「哲学横丁なごや」は東海地方を中心に多種多彩な哲学対話の取り組みに出会える場として、哲学対話の場をつくる人、訪れる人が、気楽に往来して賑わう横丁をイメージして2018年に結成された。参加者一人ひとりをテナントとし、哲学対話の実践報告や対話方法についておしゃべりするテナント茶話会を南山大学社会倫理研究所所長室(所長は奥田太郎氏)にて不定期で開催。犬てつも創設時からテナントとして関わっている。

※8　犬てつでは安本志帆氏を講師に「こども哲学進行役・実践ワークショップ」(2018-19年)を行い、てつがく対話の進行役を実践を通じて考える場を設けた。その参加者を中心に、犬山市の子育てと女性の活躍応援プロジェクトから生まれた市民活動団体「にこっと」では、てつがく対話の場「考えるカフェ」が開かれている。

犬てつstyleてつがく対話の基本のお話

1

もじゃもじゃした毛糸のコミュニティボールを使います。
まずはボールを使いながら一人ひとりが簡単な質問に答えます。
ボール以上に大事なのは、この場所がみんなで創りあげる場だと
みんなで理解すること。安心安全な「探求のコミュニティ」を
創ることが大切なポイントです。

2

話したくなったら、手をあげてボールをもらいます。
何を話してもいいし、何も話さなくてもいいです。
反対の意見は歓迎だけど、けなすのはダメです。

3

テーマに沿って、「問い」を立てながら話します。
問いを立てるのがてつがく対話のキモともいえます。
問いは話しているなかで自分たちで見つけられるときもあれば、
進行役に問いかけてもらって発見できるときもあります。

4

誰かの話を聴いて考えが変わったり、
なんだかよくわからなくなったりしてもOK。
それを楽しそうに、悩ましそうに語るこどもや
大人のいろんな姿に触れて、自分のなかに
わきあがるモヤモヤを発見し、大事にします。
それが犬てつスタイルてつがく対話の醍醐味です。

第一章　こどもと大人のてつがくじかん

2017

Inutetsu Report_no.1-no.6
2017.06-2017.12 Text_Aki Minatani

一年目の記録 / ミナタニアキ

1 虫の命と動物の命の大きさは同じか違うか / 親から子へ伝えることについて

2 セーフな探求のコミュニティとは何か / 質問ゲーム:チームにわかれて問答しよう

3 勉強

4 ケンカ

5 お金

6 時間

手探りではじまった一年目。

参加者のほとんどがてつがく対話初体験です。小学二年生とその親を中心に、知り合いが集いました。はじめはこどもと大人が一緒に対話する予定でしたが、慣れるまでは別々の方がいいだろうということで、こどもは安本志帆さん、大人は三浦隆宏さんに進行役をお願いし、部屋をわかれて対話することに。「勉強」「ケンカ」「お金」「時間」など、こどもと大人の両方がそれぞれの経験から話せそうなテーマを選びます。てつがく対話は別々に行うものの、一緒の対話にも少しずつ慣れていこうと、はじめと終わりにはこどもと大人でお互いの考えをシェアする時間をもうけました。

驚いたことに、大人と一緒だと簡単な質問にも黙り込んでしまうこどもが続出。間違ったことを言っていないか親の顔色をうかがいながら話す子が多く、自分の気持ちを素直に口に出すことに大きなハードルを感じているようでした。

一転して、大人とわかれた対話のあとに志帆さんから報告される数々のエピソードには、大人も驚くような意見がたくさん出てきます。まだこどもたちだけの間で対話が成り立つというよりは、一人ひとりが志帆さんの質問に答える形のようですが、日頃の鋭い観察眼から出た意見に大人たちはうなってばかり。こどもたちはそんなことを考えていたのか、そんな風に見ていたのかと、気づかされることがたくさんです。大人たちも同じテーマで対話したあとなので、人前で自分の意見を発言することの難しさや、自分の考えの限界などを同じように体験して知っているだけに、こどもたちへのリスペクトの念が生まれます。

犬てつが終わって家に帰る途中や、帰ってからのお風呂や空いた時間にも、こどもたちからは対話の続きの言葉が溢れ出ます。てつがく対話はその場だけのものではなく、終わったあとも続いているということが実感されます。

はじめはこどものための習い事の一つのような形で、はじめて耳にする「てつがく対話」なるものに興味をもち、こどものためにと参加していた大人が大半でした。でも、年齢や知識による上下関係のないてつがく対話を体験するなかで、こどもとこんなに話ができるんだ、こどもってすごいと、こどもと大人の関係に変化が生まれます。

みんなで話すといろんな考えが聴けるし、考えるって面白い。知らないことは知らないと言っていいし、わからなければ問えばいいんだ。自分の考えを人に話し、価値あるものとして認められ、耳を傾け聴いてもらえる体験を積み重ねるなかで、犬てつはこどもにとっても大人にとっても、これまでにない体験ができるかけがえのない場となっていきました。

1

今回のテーマ

こども「虫の命と動物の命の大きさは同じか違うか」
大人「親から子へ伝えることについて」

進行役：安本志帆さん・三浦隆宏さん　2017.6.4.sunday

さあ、いよいよ「犬てつ」のスタートです！第一回目ということもあり、どれぐらい人が集まるか心配なところもありましたが、大人12人、こども15人の、総勢27人に参加いただきました。

第一部では「こども哲学・おとな哲学アーダコーダ」さんの特別協力で、この秋公開予定のドキュメンタリー映画「こども哲学 —アーダコーダのじかん—」を日本で初めての特別試写会！の予定が、会場のWI-FIのつながりが悪く、急きょ第二部に予定していたてつがく対話を繰り上げて行うことに。

てつがく対話では、大人（と小学生未満児）と、小学生以上の二つのグループにわかれ、それぞれ進行役を三浦隆宏さん（カフェフィロ）、安本志帆さん（みんなのてつがくCLAFA）にお願いしました。

はじめてのてつがく対話。大人の時間、こどもの時間

大人グループでは、三浦さんからてつがく対話についてのお話をまずはしていただき、その後は参加者から話してみたいことを聞くなかで、「親から子へ伝えることについて」がテーマとなりました。

「親としてこどもに何を教えたいと思っているか」、「どこまで親が見守るべきか」、「いい人と悪い人を見分ける勘はどうすれば養うことができるのか」といった問いが出るなか、「親にできることをやった上でこどもの身に何かが起こったとしても、それは運命だ」という意見がとびだしたり、「いろんな人と出会える体験を与えることが親の役割じゃないか」といった話や、「親がこどもに何かを教えるという前提はちょっと違うんじゃないか、一人の人間としてこどもに教わることは多い」という意見まで、様々な考

えを共有する時間をもつことができました。

　一方のこどもてつがくでは、最初に台紙に毛糸をまきつけてコミュニティボールを作りながら、それぞれに自己紹介をしていきます。そして、てつがく対話のルールとして、

1）お話しする人はボールをもつ。
2）ボールをもっている友達の話は最後まで聞く。
3）話をしてくれた友達にダメ出しはしない。
4）ムリに発言しなくてもいい。考えていることが大事。

といった説明のあと、いよいよ本題に入ります。

身近だけど、あまり話さない。命の大きさのお話

「犬てつ」は名前に「犬」が入っているということから、テーマは犬＝生き物がいいのでは、ということや、今は昆虫の活動が活発な季節ということもあり、「虫の命と動物の命の大きさは同じか違うか」というテーマを志帆さんが考えてきてくれました。

「蚊は殺せるけど猫は殺せないのはどうして？」「バッタや蟻を触っていて殺しちゃったことってある？」という、こどもたちの日常にリンクしていてイメージしやすい問いからはじまり、「悪い虫といい虫があるの？」という問いへ。「ミミズは畑の土を良くしてくれるからいい虫」「蚊は人を刺すから悪い虫」「蛇は悪い」といった考えがこどもたちから出てきたところで、志帆さんからみんなに「頭を雑巾のように絞って考えてみて」と一層深い問いが投げられます。

「ミミズはいい、蚊は悪い、ヘビは悪い。それって誰から見て？ 誰の基準？ 同じ命なのに、どうして殺していいと悪いがあるの？ いい命と悪い命があるの？ 魚、牛、人間の命って一緒？」

　こどもたちは頭をフル回転させながら、自分の考えをひきだします。

「命は違う」派のこどもからは、「人間とカエルは言葉が違うから」という意見がでます。「言葉が違うと命が違う？」「お話できるってことが命が違うか同じかっていう区別の仕方？」など、疑問はさらに膨らみます。

同じか違うかでは比べようがないから、今度は重さで考えてみようという提案に、「命が違う」派のこどもたちからは「身体の大きい方が命は重い」という意見もちらほら。「命は同じ」派のこどもからは、「命には同じ価値がある。身体の大きさや重さが違っても命は同じ」というキッパリした意見もでてきました。

どちらが正しいかわからない問いに対して、一所懸命自分の考えをひっぱりだし、伝えようとするこどもたち。自分の身体から出てきた言葉にはその子なりの実感があり、お互いの意見は違っても、それぞれの考えをそれとして認めあう基盤がそこにはありました。

最後のしめくくりに、志帆さんから、「学校で命の重さについて考える授業はないけど、ここはそういうことを考える場所。これからもいろんなことを考えていこうね」という話があって、第一部は終了。こどもたちのなかにも「またやりたい」という気持ちが芽生えているようでした。

こどもたちと「てつがく」する姿を収めたドキュメンタリーの上映

休憩をはさんで、次はようやく映画の上映です。アーダコーダさんが一年を通して、神奈川県にある自然豊かな場所を拠点に、4〜6歳のこどもたちと「てつがく」する様子を収めたドキュメンタリー。

「考えるってどういうこと?」「宇宙と世界は何であるの?」「死んだら人はどうなるの?」「どうしてお金は必要なの?」といったテーマを、時間をかけて語り合う姿がとらえられています。自分のなかから答えを手繰りよせ、時には想像力を発揮させながら、正解のわからない問いに向き合うこどもたちの表情は真剣そのもの。大人はそうした問いを積み重ねていくこどもたちをそばで暖かく見守りながら、自分の価値観も問い直されていることに時に気づかされます。

質問ばかりして、きちんと自分の考えを

話さない母親に対してこどもが突きつける言葉。「お友達もみんな考えてるけどママだけ考えてない！　考えるってすっごい大切なんだけど、そのことを今忘れています、そう思います！」その鋭さに、会場からも思わずわが身を振り返ってか、吐息混じりの笑いが漏れます。てつがくとは、「ともに」考える場であるという大事な本質を、身体でストレートに理解しているからこそでてくる言葉なのでしょう。

てつがくを頭のなかだけで終わらせない工夫も、そこかしこに見受けられました。宇宙の話をした後は、実際に夜空の観測をする。スイカが出てくる紙芝居を見せる前には、スイカ割りを楽しむ。死の話は、古墳の山にハイキングで登ってする。そこでは死者が埋葬される土の感覚、霊魂が昇っていくかもしれない青く開けた空と海が、現実のものとして、こどもたちの足下と眼前に広がっています。

そうした自然のなかで培われた感覚は、考える基礎になる。五感、そしてときには想像力や直感の第六感もフルに作動してこそ、「てつがく」の場が開かれていくのだということを、こどもたちを通して大人にも伝えるような、そんな示唆にとんだ映画でした。

てつがく対話、本当に奥が深いです！終了後にみなさんからいただいたアンケートにも、様々な気づきの言葉がしたためられていました。回を重ねるごとに、どんな言葉が紡ぎだされていくことになるか。

ともに、自らを、ひらく。そうした経験をこれからも積み重ねていきたいと思います。

2

今回のテーマ

セーフな探求のコミュニティとは何か 質問ゲーム:チームにわかれて問答しよう

進行役:高橋綾さん 2017.8.6.sunday

今回は進行役に高橋綾さん(大阪大学COデザインセンター)を迎えました。前日には名古屋で高橋さんによる「こどもと真剣に向き合うための哲学対話」セミナー(カフェフィロ主催)が開かれ、犬てつスタッフも参加。こどもとともにする「セーフな探究のコミュニティ」はどんなものかを、レクチャーや、参加者同士の対話ワークショップを通して考えてきたこともあり、犬てつで高橋さんがどんな対話を進められるのか興味津々です。

てつがく対話にも種類がある。ケアリングを重視した対話

高橋さんが目指すのは「ケアリング」を重視するてつがく対話。思考力アップや、問題解決型のディベートとは違い、ケア的対話で重視されるのはこんなことのようです。

・相手や自分が安心して対話に参加できているかをケアし、互いに尊重しあえる関係性(コミュニティ)を作ること。

・「答えを出す」「問題を解決する」ではなく、互いによく「理解」しあったか、自分や他人に対して新しい「発見」があったかに心を向けること。

・「言わなければならないこと」「期待されていること」ではなく、「自分が本当に言いたいこと」「わからない」「自分は違う」などが安心して言える場を作ること。

犬てつでも、まずは三つの「大丈夫か?」を確かめることから対話がはじまりました。

1　からだは大丈夫?(体調は悪くない?声を出し過ぎて声が出ないとかない?)

2　気持ちは大丈夫?(とっても悲しくて人と話す気分じゃないとか、話をするなかで悲しい気持ちになったとかがあれば教えてね。)

3　頭は大丈夫?(考えすぎて疲れてない?もう考えられないとか、誰かが難しいことを言ってわかんないとかがあれば言ってね。)

これを言葉で確認するだけでなく、身体を使って一つ一つ自分のなかに落とし込みながら、みんなで楽しく確認作業を行います。そして、コミュニティボールを使うときのお約束の確認です。

・ボールをもっている人がお話しする。
・ボールをもっている人が話をしているときはその話を聴く。

こうした一連の基本的な約束事をみんなで確認する作業が、これから「てつがく対話の場がはじまるよ」という心づもりを与え、「ケア的関係」を成り立たせる基礎になるのだなということを実感します。

まずは頭をときほぐす時間。こどもたちは何歳でいたい？

次いで、ボールをまわしながら、自分が呼ばれたい名前と、「ずっと同じ年齢でいられるとしたら何歳でいたいか」という問いが投げられました。こどもたちのなかでは「8歳」が人気の答え。2年生を中心にした参加者にとって、夏休み真っ盛りの「今」が一番楽しい時なのかもしれませんが、10歳のこどもからも「8歳」という言葉が出るということは、小学二年生というのはスペシャルな時代なのかもしれません。

他にも体力が衰えてくる前の35歳がいいとか、いや、そのときはもうすでに体力は衰えはじめているから31歳がいいとか、切実な感覚から出た答えに大人たちが盛り上がる一方で、こどもたちは集中力が切れてきて、休憩を入れることに。休憩時間もどれくらいとるのがいいかをみんなに聞いてから、多数決で10分間に決定です。

大人とこどもの質問ゲーム。どちらが面白い考えをだせる？

休憩後は、こどもたちのテンションもあがる質問ゲーム。二つのチームにわかれてお互いに質問し、それに対する答えを考えます。大きい人（大人）チームと小さい人（こども）チームにわかれた方がいいか、混合チームがいいか、これもみんなの意見を聞いてから多数決をとり、大人とこどもの二手にわかれることになりました。

・勝ち負けじゃなくて、楽しむゲーム。
・調べて答えられるものではなく、相手が自分でたくさん考えないと答えられないような質問をつくろう。
・人を困らせたり、恥ずかしがらせたりする質問は、最初に話した、三つの「大丈夫か？」のうち、「気持ちの大丈夫か」が心配なのでダメ（お父さんの年収はいくら!？とか）。
・お互いのチームに二つ質問を出して、どちらの方が面白い考えが出てきたか、よーく考えて出てきたなという答えだったかを多数決で決める。

ゲームの説明のあと、チームで話し合う時間を10分とって、それぞれに質問を発表します。こどもチームは思い思いの質問を考

え、伝え、意見を交換してから、多数決で決めていました。そうやって決まった質問は、

1 なぜ あなたは ぼく、わたしを産んだんですか？

2 なぜ ねんれいは 変わるんですか？

一方の大人チームからは、

1 いつまで こどもでいられるの？

2 なんで 友だちが 友だちだって わかるの？

それぞれの質問について、チームで答えを話し合う時間をもう10分間とります。

こどもチーム二問目の「なぜ ねんれいは変わるんですか？」がとても良い難問で、大人チームは10分間のほとんどをこの質問に費やして頭をひねりました。こどもたちに「面白い！」と思ってもらえるような答えを探りだすには、自分が伝えたいことよりは、こどもたちがどんなつもりで質問をしてきたかを考えるのが先決とはわかりつつも、ついつい自分の思いを語ってしまう大人たち。

あっという間にタイムアップになりました。まずは大人チームの答えの発表です。

理屈はいらない。素直な気持ちを伝えることがそのまま答えとなる

質問1 なぜ あなたは ぼく、わたしを産んだんですか？

（答え）まずは、みんなが私たちのところに来てくれました。そして、来てくれた子がどんな子か知りたくなって、会いたくなって産みました。（お互いの共同作業だったんです。）

質問2 なぜ ねんれいは 変わるんですか？

（答え）みんなが生きてきた日数をお祝いとして数えているから、お祝いが増えていくと年が変わります。

こどもたちもまずまずの様子。高橋さんからも「頑張ったね」の言葉をもらい、大人たちもそれなりに満足のいく答えを出せた達成感があります。

次いでこどもチームの発表。でも、こどもたちはまだみんなで意見をまとめることはできなかったので、出てきた答えを全部言うことにして、その発想力で勝負！とのこと。

質問1 いつまでこどもでいられるの？

（答え）・20歳（お酒やたばこがOKになるから）

・勉強が終わったら(大学生まで? それとも高校と大学は絶対行かなくてはいけないところじゃないから中学生まで?)

質問2 なんで友だちが友だちってわかるの?

(答え)・友だちだから!
・友だちを大切にしていると友だちになれる。
・相手と自分が両方友だちと思っていれば友だち。
・けんかしても仲良くしていられると友だち。

論理的につめてきた一問目の答えに対し、二問目の「友だちは友だちだから!」というシンプルな答えに、大人チームはうなります。理屈じゃない、素直に思う気持ちをそのまま伝えていい、その説得力の強さに、こどもたちの言葉で気づかされました。

投票の結果は、11対9でこどもチームの勝ち。でも、両チームともに一人二票ある相手チームからの票も集め、がんばった成果をお互いに認め合う納得の結果となりました。対話の時間はこれで終了。途中集中が途切れて歩き回ったりしてしまうこどももいましたが、最後に書いてもらったアンケートには、「いろんなことを考えて話して楽しかった」「他のこどもたちの考えを聞くのが楽しい!」といった意見がたくさん。みんなと一緒に話すことで、自分の世界が広がることを、こどもたちは実感としてつかんでくれたようでした。

そして、関西弁でテンポよく、ツッコミと笑いを交えながら繰り広げられる高橋さんの進行は、なんでも話していいんだという場の安心感を生んでいました。とても参考になったのは、どうしたいか、どうすればいいかは、みんなに聞いて決めればいいんだということ。休憩をとるかとらないか、時間を何分にするか、どの質問を採用するか。自分の意見も言うけれど、みんなの思いも共有できれば、心は柔軟に場の流れに寄り添うことができる。意見が通らなくても、自分の意見も尊重されていることへの根本的な信頼感があれば、いろんな意見を受け入れることができ、共同作業の場を楽しむことができるんだ、そんなことを強く感じることができました。

犬てつをはじめていくにあたって、こんな素晴らしい機会を作ってくださった、高橋綾さん、セミナーを企画いただいたカフェフィロさん、参加者のみなさんに本当に感謝です!

3 今回のテーマ　勉強

進行役:安本志帆さん・三浦隆宏さん　2017.9.17.sunday

6月にはじまり、三回目となる犬てつ。今回からは、「おやこ」に限定しない、こどもだけ、大人だけ、親子で、友達と、といったいろんな参加を受け付けるようにしました。

「犬てつ」はこどもに考える力をつけてもらいたいという思いとともに、大人も同じくこどもとともに考えていきたいと思っています。目指すところは、大人とこどもが一緒の輪になって、お互いの意見に触発されながら、対話を重ねること!!ですが、まだまだ対話の経験が浅いこどもたちにまずは慣れてもらおうと、今のところは大人とこども別々の対話に比重を置いています。

今回の進行役は、第一回目と同じく三浦隆宏さんと安本志帆さん。参加者はリピーターとはじめての方が半々の構成です。

6月に行った第一回目では映画も上映したので、時間の関係から大人とこども別々の対話となりましたが、今回からは大人とこどもを交えての対話も徐々に行おうと、大人とこどもの合同タイムと別々タイムとを組み合わせた三部構成をとることにしました。

第一部　自己紹介も兼ねた合同タイム
第二部　共通テーマについての大人、こども別々タイム
第三部　出た意見を共有する合同タイム

大人の前で自由に話す難しさ。黙りこむこどもたち

第一部では、まずみんなが輪になって、呼んでもらいたい名前と、「生まれ変わったら人間以外では何になりたい?」という問いに答えていきます。

大人の前で話すことにも、こんな問いに自由に答えることにも慣れていないためか、しょっぱなから黙りこむこどもが続出し、なんとか名前を言うだけで精一杯な様子。大人からは「イカ」や「カンガルー」、「牛」、「雲」といった面白い意見が出てくるなか、こどもたちには緊張が漂っています。でも、一分くらい黙りこんでしまった子がいても、みんなが待つということを共有する経験は、こどもにとっても、ついつい答えを急がせてしまう大人にとっても、ちょっとした通過儀礼的な意味があるかもしれません。こ

どもからも「ペンギン」、「馬」といった言葉も出てきて、少しずつではありますが、自分の言葉を話し、人の言葉を聴く、そんな場が紡がれていきました。

勉強と学びは違うのか?
話すなかで見えてくるもの

第二部ではこどもと大人が部屋をわかれて、「勉強」という共通のテーマで対話を進めます。こどもの方は安本さん、大人の方は三浦さんの進行です。大人の方は、勉強に関連してそれぞれに出てきた話題を元に、多数決で一つの問いを決めるところからはじめました。

・嫌いなものも勉強しないといけないのか
・勉強にタイミングはあるか
・勉強に順位は必要か
・勉強の目的とは
・学校の勉強は必要か
・勉強と学びはどう違うか
・勉強をまじめにやるのは格好悪いか
・自分のこどもに勉強させるか
・宿題をこどもにまかせるか

このなかから、一人何票入れてもいい多数決で決まった問いは、「勉強と学びはどう違うか」。問いが決まった時点で、すでに残り10分しかありませんでしたが、そのなかでも様々な意見が飛び交いました。

「勉強」=押しつけられるもの。社会的なもの。知識を得るもの。職業や可能性を開く手段。「宿題」も与えられた課題をこなすことを覚えるためのもの。

「学び」=自分のなかに入ってくるもの。内部にあるもの。楽しいもの。経験するもの。人生を豊かにするもの。終わりが見えないもの。

てつがく対話では、最終的に意見を一つに集約しません。時間がきたら、それで終了。人の意見に耳を傾け、自分の考えと照らし合わせ反芻するなかで出てきた疑問や考えを、各自がそれぞれ持ち帰ります。

どこから勉強? どこから遊び?
境界線はどこにある?

休憩をはさんで、第三部では大人とこどもで別々に話し合った内容を共有します。最初の合同タイムの水をうった静けさとは違い、生き生きとした表情で別々タイムを終えたこどもたちの様子をみて、どんな話をしたのか大人は聞きたくてたまりません。

ところが、発表する気満々でメモ書きまで作っていたというこどもたちですが、大人と合同になった途端、恥ずかしさが先に立ってかテンションが下がり、誰も発表しようとはしません。代わりに志帆さんがまとめることになりました。

最初は、学校の教科（算数、国語など）が「勉強」だと考えていたこどもたち。でも、公文とかそろばんとかの「習い事」もしているよ、という話から、習い事だと「体操」もしているよ、という話に発展。じゃあ、どこからが勉強でそうじゃないのか、そのラインを考えてみようということに。そこで出てきたのが「勉強」と「遊び」という区分のようです。ここでも体操が判断の基準になって、体操は「遊び」だというこどもが4人、「勉強」だという子が2人、どっちもだという子が4人、どっちでもないという子が6人という結果に。

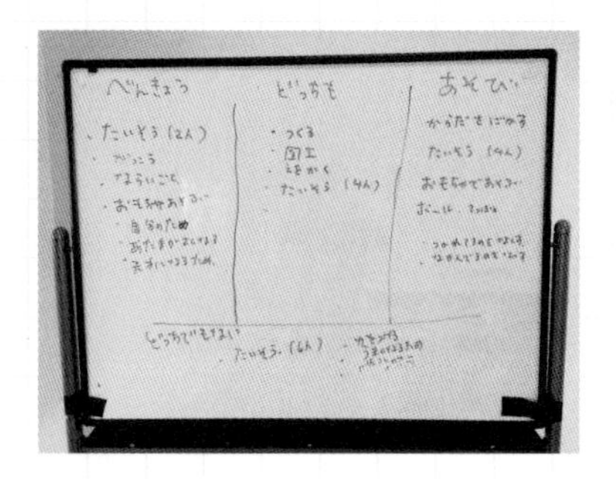

はじめは「学校の勉強」だけが「勉強」だと言っていたこどもたちが、体操の話をきっかけにだんだんと勉強の幅を広げて考えるようになり、最終的にはレゴとかの「遊び」も「勉強」になるというところにまで話が広がっていったようです。さらに、何のために「遊ぶ」のかという話では、疲れていることや悩んでいることをなくすために遊ぶんだ、という意見も出てきたようで、これには大人たちも少なからず考えさせられます。

こどもと大人が話した内容の共有が終わり、それぞれに意見や感想を出しあって本日のてつがく対話は終了です。

経験は少ない。言葉も知らない。
けれど、大人よりも濃密で
繊細な時間を生きるこどもたち

最後に志帆さんからこんな感想がありました。「こどもは「学び」という言葉や概念をまだ知らないだけで、大人が「勉強」と「学び」の違いを考えたのと同じように、「勉強」と「遊び」について考えていた。そして、「遊び」という言葉を通して、「学び」の概念に近づいているのだなということを、大人とこどもが期せずして共通の問いを選び取ったことによって、こどもから大人へのプロセスのようなものを垣間見たような気がした」。

　また、普段は大人とのてつがく対話を中心にされている三浦さんからも、あんなに静かだったこどもたちからこれだけの言葉が出てきたことに驚きながら、こどもと大人の対話が融合できていくと面白いことになりそうだという感想がありました。こうした言葉にも励まされつつ、まだまだ道のりは遠そうですが、こどもと大人の対話に向けて、回を重ねていきたいと思います。

　こどもは経験も知識も語彙も少ないですが、大人に比べてはるかに濃密で繊細な時間を生きている。その世界に、共通の「言葉」を介して触れることは、大人にとっても自身の経験や言葉、感覚を見直すまたとない機会だと思います。

　そして、もしかしたら、まだてつがく対話に慣れていないこどもたちの、言葉と身体がもじもじと一体化している今の状況は、この時期にしか見られない、とても貴重なものかもしれないなどと密かに思ったりもしています。

　今回は台風の接近にひやひやしましたが、無事開催できてよかったです。しばらくの間は大人とこどもの（1）合同（2）別々（3）合同 という三部構成を取りながら進めていこうと考えています。ご参加いただいたみなさま、ありがとうございました。

4

今回のテーマ　ケンカ

進行役：安本志帆さん・三浦隆宏さん　2017.10.15.sunday

今回の参加者はリピーターとはじめての方が半々の構成です。前回と同じく、大人とこどもの合同の時間と別々の時間とを組み合わせた三部構成をとることにしました。

第一部では、こどもたちが前回のように緊張しないよう、毛糸でコミュニティーボールを作りながら、簡単な質問からはじめます。一巡目で名前と住んでいる場所を話してから、二巡目は「好きな色」。グレー、赤茶、薄紫といった意外と渋い色を選ぶ女の子たちや、決まった色ではなくて、その時々に好きな色は変わるという意見など、見た目と共通していたり、違ったりと、簡単な問いながらも、発せられた言葉からはそれぞれのイメージが広がりました。

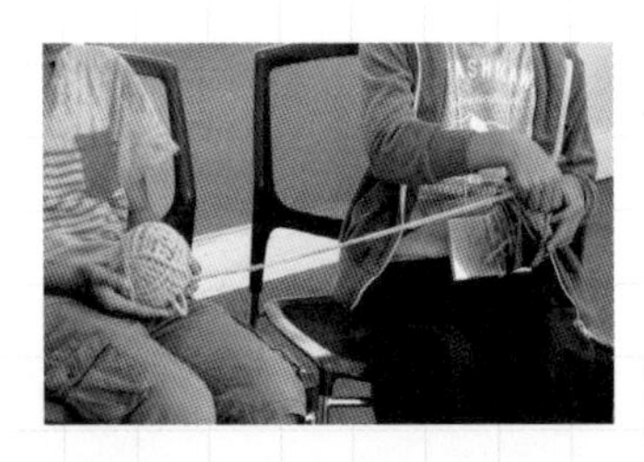

ケンカと怒るは違うのか。大人にとっての「ケンカ」とは

第二部の共通テーマは「ケンカ」です。大人とこどもに部屋をわかれてそれぞれに対話をします。大人の方はまず問いを決めるところからはじめ、それぞれに気になることや自分の例などを話します。

―― ケンカは大人がこどもに自分の意見を押し付けている「欲」のようなもの。親のエゴで終わってしまっているのが残念。楽しいケンカはできないのだろうか？　たとえば「バカ」というと傷つくけど、他の言い方はないだろうか。

―― こども同士のケンカで終着点が見えないのがつらい。ケンカのエネルギーはすごくて、放っておいても巻き込まれてしまうのが嫌なのだが、終わりの見えないケンカにどうつきあえばよいか。

―― 「バカ」という言葉は親から使うときついので、かわりに「おぷーこさん」とか別のやわらかい言葉を使っている。自分が子どものときは、母親に時間で「終わり」が決められ、母が最終的なケンカのジャッジをしていた。

こうした意見から、話は次第に「ケンカ」と「怒る」の違いはどこにあるんだろうという問いに発展していきます。ケンカの対象もこどもだけでなく、夫婦や友達との関係に広がっていきました。

―― 「ケンカ」＝「怒りと怒りのぶつかり合い」だとすると、夫婦でケンカはあまりしていない気がする。こどものときは体当たりでケンカできたけど、大人になるとそうもできず距離を置く。怒っている同士の無視のしあいはケンカに入るのか?

── ひとりっ子で小さいときにほとんどケンカしたことがなく、嫌なことがあってもまあいいやと思ってやりすごしてきた。大人になって人とこじれたときに、怒っているだけで言えない状態が続くよりはケンカになればいいのにと思う。ケンカして言いたいことを全部言って、そこから次のステップに進めた方がいい。

こうした意見が出てきたところで、三浦さんから改めて、「ケンカってどういう状態なんだろう、何なのだろう?」ということが共通の問いとして提案され、更に考えを深めていきます。

そもそもケンカとは何か。どういう状態をさすのか

── ケンカは相手のことを気にいらなくなったときから始まる。ケンカは自分にとって違うことが起こったとき(自分の思い通りにならないとき)からスタートするのでは?

── ケンカは相手のことを受け入れられない自分自身が引き起こしているのでは?受け入れられる余裕があれば話合いができるはず。

── 自分の気持ちが時間に追われているとケンカが発動することがよくある。

── 夫とは、ケンカになる前に小出しに言い合うようにしている。気になることをためていると、いつかためられなくなって爆発する。

── 他人より身内ほどケンカをする気がする。なぜなんだろう?

と話が進んできたところで時間切れ。先に終了したこどもたちが部屋になだれ込んできて終わりとなりました。

こどもにとっての「ケンカ」とは。大人から「怒られる」ことはケンカじゃないと話すこどもたち

第三部では三浦さんによる大人のまとめの後、志帆さんがこどもたちの話をまとめ、お互いが話した内容を共有します。

こども同士の対話では、まずは「ケンカは誰とするの?」という問いからはじまり、家族、友達といった答えがあるなか、お父さんともお母さんともケンカしたことがない

といった意見が出てきたようです。

志帆さんからの「何でケンカしたことがないの？」という問いに「ケンカじゃなくて怒られるから」という答え。「怒られるとケンカは違うの？」という問いには、「ケンカは言い訳ができるけど、怒られると言い訳できない。怒られると逆らえないからケンカじゃない」。さらに突っ込んで、「ケンカでは言い訳はできるのに、怒られたときはできないのはどうして？」の問いには、こどもたちからたくさんの答えがあがったようです。

—— 言い訳すると余計に怒られるから。

—— 自分が悪いから。

—— 言い訳すると反省したように見えないから。

「反省するってどういうこと？」という志帆さんからの問いには、

—— 「ごめんなさい」を言うこと。

—— 怒っている人は怒られた人のために言っているので、それは無駄ではない。

「どうしてわざわざ怒らないといけない？」という問いには、

—— 怖くないと治せない。

—— 何回も同じことをして反省していないから。

「じゃあ、忘れることは反省していないこと？」の問いには、

—— 反省していると忘れないから、忘れるのは反省してない。

—— でも、忘れることはあるけど、一回一回反省はしてるはず。

—— 忘れたらひたすら謝る。それで終わっちゃうからさっさと済ます。

というような答えが出てきたようです。

今回は一つの問いを深めていくというよりは、「ケンカ」というテーマで話すなかで、次から次へと浮かび上がってくる志帆さんの問いに対して、こどもが答えを出していくというような流れになった模様。言い訳もできず、一方的に怒られるという関係にもかかわらず、こどもは怒られている自分が悪いと思ったり、怒っている相手の

気持ちを斟酌してまで反省を迫られている状況に、志帆さんのモヤモヤは溜まりっぱなしだったようです。

「ケンカ＝悪」なのか。対等なケンカには意味がある?

最後に挙がった感想で、ケンカをして何かプラスの側面（第三の案のようなもの）が生まれることはあるのか?という問いに応えて、三浦さんが「壮絶にやりあった後にお互いに譲歩するという形で納得ということはあるんじゃないか」と言った話には頷かされました。

そういえば、アイヌの人たちの紛争解決の方法に「チャランケ」というのがあって、何か違反があったときに、知恵と言葉を尽くして、徹底的に、時には数日かけて話しあうという風習があったと聞きます。戦争を回避するために磨かれたスキルであったとか。とりあえず謝る、嵐が過ぎ去るのを待つ、怒って（あきらめて）黙る、言いたいことだけ言って発散させるのでもなく、お互いの意見を聴き合ってとことん粘り強く話し合っていく。そうすることで、自分の意見が通らなかったとしても、自分を納得させた相手に敬意をはらうことができる。そこに新たな信頼関係が生まれる可能性もあるように思いました。

「ケンカ」というと何か悪いイメージがありましたが、「対等」な立場が担保されてのケンカは意味のあることなんじゃないかと、今回の対話を通して、また一つ新たな視界が開けたような気がします。でも、じゃあ「対等」ってどういうこと? まだまだ問いはつきません。ご参加いただいたみなさま、ありがとうございました。

5 今回のテーマ お金

進行役：安本志帆さん・三浦隆宏さん　2017.11.26.sunday

今回の参加者は、はじめての方が一組、ほかはすべてリピーターとなりました。前回と同じく、大人とこどもの合同の時間と別々の時間を組み合わせた三部構成をとります。

第一部の合同タイムで出された問いは、「一番行きたい場所はどこ？」。イラク、波照間島、世界淡水魚園水族館のアクア・トトぎふ、行ったことがないから東京ディズニーランド、考えたことがないから特にないなど、いろいろな意見がでます。

コミュニティボールが自分のところに回ってきても、みんなの前ではなかなか声が出せない子も、順番を最後に回してもらうなかで気持ちの整理がついて、「ありません」の一言が言えるようになってくる。時間に限りはありますが、急かさず待つ時間をとるなかで、こどもたちがみんなの前で声を出すきっかけを作ったり、自分の言葉が聴かれているということや、人の話を待つということ、困っている友達にどう声をかけたらいいかなどなど、いろいろと感じる場になっている様子がうかがえます。

大人とこどもで反応がかなり違う？「お金」というテーマ

第二部の別々タイムのテーマは「お金」。前回、前々回は、「ケンカ」「勉強」と、こどもにとっても大人にとっても身近で切実なテーマを考えてみましたが、今回はもう少し距離があるけど身近なテーマということで「お金」にしてみました。

こどもの方はお小遣いをもらいはじめたばかりだったり、まだもらっていなかったりとまちまちですが、まだあまり金銭感覚が身についていない状態です。いつもは大人とこどもで別々に話していても、蓋をあけてみると同じような問いになっていたこともありましたが、今回は大人とこどもで話の内容はかなり違いました。

大人の対話で挙がったのはかなり現実的で具体的な悩み事。

―― お金は人間関係をややこしくする。

―― こどもにお年玉やお小遣いをどれく

らいまであげたらいいだろう。

―― 大人になる上での金銭感覚をどうやってこどもに身につけてもらえばいいか。

―― お金のかかる習い事をこどもにさせることに親としてのためらいがある。

―― こどもに家計のことをどこまでオープンにした方がいいのかどうか。

―― 大人同士でも性とお金の話はタブーになっている。

大人の方は「問い」を一つに絞ることもできず、気になっていることや、自身の経験を話す形になりました。

知識ではなく経験から考える。どうしてお金が生まれたか？

一方、こどもの方は、大人よりももっと根源的な、哲学的な問いへと踏み込んでいったようです。

最初に「お金」にまつわる問いをそれぞれに挙げ、多数決で「誰が最初にお金を作ったか」という問いに決まります。はじめは「誰が？」という具体的な人を探していましたが、最初のお金はタカラガイ=「貝」だったという話がでてきたところから、「貝」じゃなくて「石じゃない？」という話も出てきて、そこで持ち上がったのが、「そもそもお金ははじめからあったのか？」という問いです。

そこからさらに「どうしてはじめはお金がなくてもよかったのか」という問いに発展し、それに対しては「畑をやって山に行けば食料があるから死なない」とか、「でも苗は買わないといけない」とか、自然に囲まれて暮らしている犬山っ子ならではの声があがりました。

そうしたなか、一人の子から「物々交換でやってきたんだよ」という意見が出ます。

「物々交換は、自分があげたいものと、相手が欲しいものがマッチングしないとうまくいかない。その間に食料もなくなっていくし……」というところから、それなら「お金」があるといいんじゃないという気づきに発展した模様です。お金がどうして生まれたか。こどもたちは対話をするなかで、その仕組みに自分たちでたどり着いたようです。

最後に、「たくさんお金があったら退屈だ」という意見に賛同するこどもがたくさんいて理由をきくと、「お金がありすぎたら、何でもお金でやっちゃって、自分で何かをやる楽しみがなくなるから」という話も出たようでした。お金を出せばいろんなものが簡単に手に入る世の中だけど、時間をかけて自分の手で生みだす楽しみを、こどもたちはきちんとわかっているんですね。

自分たちの考えを自分たちの声で。
発表に挑戦するこどもたち

そして、今回は第三部の発表にも大きな変化がありました。

いつもは恥ずかしがって志帆さん任せになっていた発表が、今日はこどもたちが「自分でやる！」とのことで、二人が声をそろえて一緒にホワイトボードに書かれている内容を読み上げて発表します。読み終わった後、終わり方をどうすればよいか少し考える間があって、「これがこどもたちの発表です」と、自分たちで締めくくり方を考えて発表を終えることができました。回を重ねるなかで、こどもの変化を目の当たりにできるのはとても嬉しい！

半年間犬てつを続けてきて、リピーターのこどもたちは、だいぶ場馴れしてきたようです。ピリピリした緊張感がなくなってきて、その分ふざけたりといったこともあるようですが、みんなと話し、問いが深まっていくのが楽しいという体験の積み重ねが、まずは一番大事なこと。似たもの同士の集まりよりも、違う人がいればいるだけ面白い話がきけるというのも、なかなか他では味わえないてつがく対話ならではの醍醐味です。ご参加いただいたみなさま、ありがとうございました。

今回のテーマ　時間

進行役：安本志帆さん・三浦隆宏さん　2017.12.10.sunday

今年の6月からはじまった犬てつも、今年度の最終回を迎えました。

冬日和のあたたかなお日様のもと、場所はいつもとちがって、犬山城下町にある開放感のある素敵な木造の建物です。今回はなんと名古屋から二組と、東京からも二人の新しい参加者がいらっしゃいました。

小学二年のこどもからリクエストがあり、今回のテーマは「時間」です。これまでやってきた「勉強」や「けんか」などの身近なテーマよりも抽象度が上がるかと思いつつも、最終回ということもあり、チャレンジしてみることに。

結果は、今までにないくらいの「発見」がある回になったのではないでしょうか。当然のものとして受け入れていた「時間」について、改めて考えをめぐらすことで見えてきたことや、考えていなかったような言葉がたくさん紡がれることになりました。

ウォーミングアップで頭の体操 一日の時間が増えたらどうする？

第一部の合同タイムに志帆さんから出された問いは、「時計が13時までになって、一日の時間が二時間増えたら何をする？」。別々タイムで話すテーマ「時間」のウォーミングアップのような質問です。

大人からは「寝る」「本を読む」「筋トレ」「ご飯をゆっくり食べる」「ゆっくりお風呂に入りたい」「仕事をする」といった話が出るなか、こどもからは「ママと遊びたい」「工作がしたい」「テレビがみたい」「外で遊びたい」といった話が。今回は答えられずに黙りこむこどももおらず、余分にもらえた「二時間」という夢のような時間の過ごし方を具体的に算段しながら、答えをひき出していました。

過去や未来を考えがちな大人。「今」を選択的に生きる大切さ

第二部の別々タイムでは大人とこどもが部屋をわかれて、それぞれに「時間」について考えます。

大人の方は「時間とは何か？」といった漠然とした問いに答えるのは難しいかもしれないとの予想もあり、まとまりのない話になるかと心配もしていましたが、実際には、

それぞれの「生き方」に根差した、たくさんの時間観が共有されることに。これまでは意見を出し合って終わることが多かったのですが、今回は話し合うなかで、問いがどんどんと深まっていく、そんな感覚を覚えました。三浦さんを進行役に、まずは「時間」にまつわる問いや考えを出し合います。

―― 時間は無駄にしたり、なくなったりするもの？

―― 時間は「余裕」。時間がないとイライラしてしまう。

―― 時は金なり。商売しているときは時間に遅れると仕事をなくしてしまう。時間を短縮するためにお金を使う。

―― せっかちな人とルーズな人とで時間に対する感覚は違う。

なかでも私がいちばん印象に残ったのは、お二人によるこんな「今」の生き方。

―― 時間には過去、未来があるかもしれないが、重要なのは今この瞬間。この一秒一秒を最大限に活かすために必要な選択に、いつも真剣に向き合いながら生きている。でも「今」を生きていたら「時間」に間に合わなくなってきた！ 社会人としてやっていけなくなってきた！という難点もある。

―― 過去と未来は頭で考えることはできるけど、感じることができない。今の時間は喜怒哀楽として感じることができる。どうせやるなら感情をたくさん使って生きていきたい。「時間」は「生きる」というテーマにつながっている。大人は考えることが多くて「過去」や「未来」にすぐ目を向けるけどこどもは「今」を生きている。大人とこどもの違いはそんなところにも表れているのでは。

「今」を選択的に、積極的に生きようとする姿勢には、芯の通った強さを感じました。また、そうした生活を選択されて、自然を感じ、豊かな日常を生きる実践している方々が、ともに考え、語ることの重要性をみとめられて、犬てつに通ってくださっているケースが多いようにも思います。

自分の時間と他者・社会と共有する時間の違いが見えてきた

次いで、話は大人とこどもの時間の感じ方の違いに進みます。

―― こどもには「時間がもったいない」という感覚はあまりないのではないか？

―― こどもは充実した「今」の時間を生きている。

―― こども時代は自分が主語なのに、大人は仕事に追われて生きているので時間が主体になっている。

Q　こどもが時間を感じるようになったのはいつからだろう？

―― 小学校になって時間割ができてから。

―― 学校がはじまる月曜を目前に、日曜の夜が憂鬱になる（サザエさん症候群）。

―― 学校に行かないといけないという、従うべき「決まり事」ができたときから。

Q　じゃあ、「約束事」や「決まり事」が「時間」を作っているのだろうか？

―― 決まりがなくて自分の好きなことができていれば、時間を気にしなくていい。

―― ネバーランドや竜宮城には時間がない。太陽が上がって明るくなったり暗くなったりはするけど、時間とはあまり関係ない。

―― 竜宮城は時間がない世界だけれど、陸上に戻ってきたら時間がある。そろそろ帰らなきゃと思った時点で時間が気になっている。両親のことが気になって帰る。

―― 人とのつながりが時間を気にさせる。人がいなければ自分で完結できるけど、人との関係ができることで時間ができてくる。

さらに、竜宮城の話と関連するようにして、「専業主婦」の経験を通しての話がでます。

―― 仕事をして「社会」に戻ることをあきらめて専業主婦になり、子育てにまい進してきた。こども中心の、社会とはあまり縁がないような生活をしてきたものの、こどもが成長してくると幼稚園に行くようになり、こどもを通してまた社会に戻ることになった。人と関わることは社会に通じていること。社会にはルールがあってしかるべきで、そのときに時間も生まれてくるのではないか。

という話が出てきたところで、先に対話の終わったこどもたちがなだれ込んできて、大人の対話も終了。大人の方では全体の話を通してこんな理解が生み出されていったのではないでしょうか。

・「今」を生きる自分の時間と、他者と共有する時間にはずれがある。
・「社会」ができて、人と生きていくところから時間を守っていくという合意ができる。
・「時間」は人と生きるために、「社会」から要求される「約束事」や「決まり事」によって生まれる。

でも、たとえ全体的な理解が生まれていったとしても、集約された意見自体はそれほど重要ではないようにも思います。話し合う過程で縒り糸が合わさるように紡がれた、個別のエピソードや考えの方が、断然意味があって面白い。そんなことを再認識させられます。

抽象的な時間論とは違う、自分の体験や物語にもとづいた話から、自分の時間と、他者／社会と共有する時間の違い、現在と過去／未来の違いが見えてくる。今年度の最後の締めくくりとして、問いを深めていくことの楽しさを存分に味わえる対話でした。

こどもたちの発表タイム。言葉、身体、絵を使って表現する

休憩をはさんで、第三部の合同タイムでは大人とこどもが話の内容を共有します。

午後からも会場が使える今回は、退出時間が決まっているこれまでとは違い、時間の流れもゆっくりと感じられます。さらにここ数回続いた椅子席とは違う座敷ということもあってか、こどもたちもいつもよりリラックスした様子です。

こどもたちが話した内容を、志帆さんがまとめて発表します。今回は手始めに、3つの手法（言葉、身体、絵）を組み合わせた方法を使ってみたということです。

まずは言葉。「時間って何だろう？」という問いに言葉で答えてもらいます。

―― 時間は時間だよ！

―― 夕方になると音楽が鳴る。

―― 決められた通りに動く。

―― 太陽の動き。

次は身体。「身体で時間を表現すると？」の問いに、手で時計の針の真似をしたり、時計っぽいチクタクの音と動きしたりするこどもたち。

次は絵。「絵で時間を表現すると？」と

いうことで、こどもたちに紙を配り、自分が考える時間の絵を描いてもらいます。一所懸命に絵を描こうとするこどもたち。でも、口々に「間違ってもいい？」「○○を描いてもいい？」という質問が挙がります。これまでも犬てつでは再三、自由に自分の思ったことを話していいんだよ、ということを伝えてきたつもりなのに、リピーターのこどもたちでも絵を描くときはまだまだ自由になりきれない様子。志帆さんは声を大にして、「自分がそうだと考えるものだったらなんでもいい」ということを何度も伝えることになりました。

描き終えた子から、それぞれに描いた絵を持ち寄って、見せ合います。

思い込みを無くして考える。時間って見える？ どこにある？

星を描いたこどももいますが、「時計」を描いた子が圧倒的多数。こどものなかでは「時間＝時計」という考えが根強いようです。

そうした思い込みをほぐそうと、志帆さんは次々と質問を投げかけます。

Q　時計がなかったら時間はどうやってわかるんだろう？

—— 日時計が作れる。

—— 北極星をみつければ時間がわかる。

Q　じゃあ、時間って何？ 時間がないとどうなるんだろう？ 時間がない世界に行ってみよう！

ということで、「時間」のない世界をみんなで考えます。

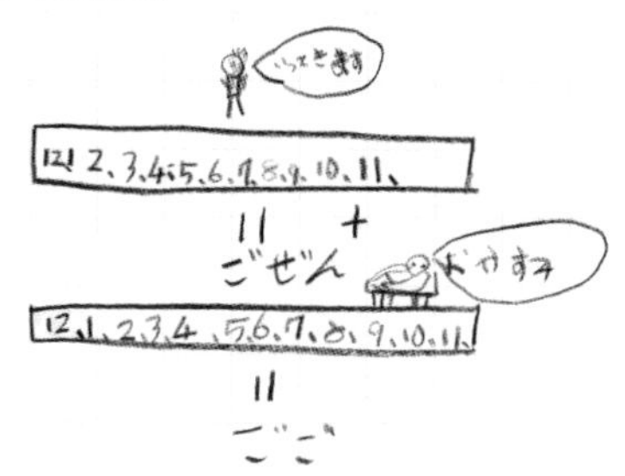

Q　時間がない世界ってなんだ？

—— おなかが空いたら食べていい世界。

—— 止まっている世界。

—— 時間というのは動いているということ。

Q　時間が消えるってどういうこと？ 時間はどこかにあるの？

手をあげてもらうと、あると思うこどもが4人、ないが0人、わからないが5人。

Q　どうして時間はあると思うの？

—— 今ここにあるから。

Q　今って何？

—— 今、自分がいるところ。

Q　時間って見える？ どこにあるの？

—— 未来にある。時間があるかは未来に行けばわかる。

—— 時計のなかにある。

—— 太陽のなかにある。

——「朝」は明るくなって、「夜」は暗くなる。「昼」はずっと日が当たっているから見てわかる。

太陽を巡る何やら説得力のある意見に、こどもたちの考えは時間は太陽に関係するという方向に傾いていきます。

—— 太陽がなかったら無の世界。

—— 太陽がなかったら真っ暗で、時間はないと言えるんじゃないか。

—— 太陽が出ている間は人間は動ける。

でも次に、「自分が暗いと思っていても、地球の反対側のアメリカは明るい」という意見が出て、話はまた違う方向にシフトしていきます。こどもたちは頭をひねっていろんな可能性を考えます。

—— 時間と明るさはあんまり関係ない。

—— 時間がないという話と、光がないという話は違う。

—— 時間があるから動ける。時間がなかったら止まってしまう。

—— 太陽が生まれたから時間が生まれた。

—— 真っ暗な宇宙、真っ暗な地球には時間がない。

—— 時間は太陽のなかにこもっている。

そうしたなか、太陽とは関係のないところで、自分の中に時間があるという、別の視点も加わりました。

—— 太陽がなくても、自分たちが生きている時間がある（おなかが空いたりとか）。

—— 時間は見えないけど、今、自分でやってる！

時間は見えないけど自分やっているかもしれない。

感覚を言葉にしようと意識すると、世界は違って見えてくる

いろんな意見が出てきたところで、最後に今の自分たちが考える「時間」をもう一度絵に描くことに。二回目の「時間」の絵は、「時計」の絵を描くのではなく、「言葉」で時間を説明するこどもが多くなったようです。それぞれのこどもたちが個々に「時間」について考えを掘り下げていくなかで、目には見えない時間への興味が深まったようでした。

いつもは一つのテーマを協同してみんなで掘り下げていきますが、今回は一人一人が自分なりの考えでテーマと格闘した模様です。大人の回でも時間は生きるというテーマと密接な関係にあるという話が出ましたが、こどもにとっても今ここに確かにある自分の感覚としての時間に行きついたようです。

言葉での説明は難しくても、感覚として存在するものがある。それを全て言葉に置き換える必要はありませんが、他者との関わりを媒介に、感覚を言葉にしようと意識を変えてみることで世界は違って見えてくる。今回の対話のなかで、こどもたちはそんなところを、まだまだ身体の無意識の先っぽの方かもしれませんが、感じ取ったにちがいありません。

今年度の全6回の犬てつはこれで終了。思えば、自分がこれまでに生きてきた「過去」、そしてこれからこどもと社会とともに作り上げていく「未来」に想いを向けたときに、「今」やることはこれだ！とてつがく対話に行きついたのがちょうど一年前のこと。アーダコーダさん、カフェフィロさんのご協力で、安本志帆さん、三浦隆宏さんに出会えたことで、「犬てつ」の具体的な道筋が見えてきました。

進行役をご快諾いただいた安本さん、三浦さん。日本での映画初公開の機会を提供くださったアーダコーダさん。こども哲学セミナーを名古屋で企画してくださったカフェフィロさん。犬山での特別ワークショップに来ていただいた高橋綾さん。そして、参加してくださったみなさん。参加はしてないけれども興味をもっていただいたみなさん。「犬てつ」の活動を応援してくれた犬山のまち。スタッフとして並走してくれたリサさん、くみちゃん。みなみなさまからのあたたかいご支援に、心から感謝します！

じかんって何？
・じかんは じかん
・ゆうがたに おんがく
・きめられたとおり
太陽のうごき
・はり（時計）
絵
言葉
体
・いいの？ 時計でもいい？
まちがえてもいい？

2018

Inutetsu Report_no.1-no.7
2018.05-2019.02 Text_Aki Minatani

二年目の記録 / ミナタニアキ

ゆるゆると対話が浸透してきた二年目。

一月には市民活動団体「犬てつ（犬山×こども×大人×てつがく×対話）」を立ち上げて、新しいスタートを切ることになりました。こどもも大人も対話に慣れてきた様子なので、今年度は一緒にてつがく対話を行うことに。

こども哲学（p4c）では丸くなって座り、発言したい人にコミュニティボールを回しながら対話するスタイルが一般的。でも、そのやり方をすればてつがく対話が成立するというわけではありません。誰もが安心して話せる場づくりがとても大事ということで、犬てつではこどもたちの状況に応じてどんなスタイルが良いかを探ってきました。

一年目はこどもたちが対話に集中できるようにと、会議室のような部屋で椅子に座って丸くなるスタイルを選びました。でも、椅子席は学校の延長のような感じもして、お行儀よくしないといけない気持ちが強くなるようです。最終回の和室でのびのびと楽しそうに発言するこどもたちの姿を見て、二年目はもっとリラックスできる畳の部屋を中心に使うことに決めました。

畳の部屋ではあまり気おくれすることもなく、自由なスタイルで大人との対話にのぞむこどもたち。でも、その一方で寝転んだり、押し入れに隠れたり、座布団の山を作ったりと、対話に集中できない様子もうかがえます。志帆さんはそんなこどもたちを頭ごなしに叱るようなことはしません。遊び声が大きくなると対話の声が聞こえにくくなる、座布団をバタバタさせるとほこりアレルギーの人が辛くなるなど、きちんと理由を説明した上で自分たちで判断してもらいます。対話に参加するかしないかも、こどもの判断に任せます。自分たちの発言や行動が尊重されていることを肌身で感じているこどもたちは、大人の意見にも平気で反論したり、遊んでいて参加していないように見えても、要所要所で自分の意見を伝えてくるようになりました。

犬てつはこどもだけでなく、大人にとっても大事な学びの場になっています。こどもが発する本質的な問いや答えに、大人は目を見開かされることがたくさん。そして、普段何気なく話している言葉や価値観が自分のこどもの口から同じように発せられるとき、親としての影響力や、自分の意見に客観的に向き合わされ、ぎょっとすることもあります。

大人はこどもになるべく発言してもらうようにと、はじめは口をつぐみがちでした。でも、それって大人の方が正解を知っていると勝手に思いこんでない？　それって対等な関係かしら？　こどもは大人ほどには言葉がうまく使えないかもしれないけど、シンプルな言葉のなかにはギュッと凝縮された本質がある。それがわかってくるにつれ、大人もこどもと同じ立場に立って考えを披露するような場面もたくさん出てきました。

犬てつはこどもと大人がともに考え話し合う場だということが、徐々に浸透してきます。こどもと大人のてつがくじかん。
二年目にしてゆるゆるとその時を刻みはじめました。

1 テーマから考えよう お金 part 2

進行役:安本志帆さん、ミナタニアキ　2018.5.12.sunday

昨年の最終回から5か月ぶり、2018年度初の犬てつです。

これまでの活動を小耳に挟んで興味をもってくださった方のほか、再会を楽しみに待ってくれていたリピーターさんが集まって、20名を超える参加者となりました。全体とこどもの進行役は引き続き安本志帆さん。大人の進行役は犬てつのミナタニが初挑戦することに。

テーマをみんなで考えよう。話し合いたいことは何?

昨年は、対話のテーマ(お金、勉強、時間など)をこちらで決めていましたが、今回はこのテーマもみんなで決めてみることにしました。参加者には事前にどんなテーマがいいか考えてきてもらい、こどもと大人も一緒に話したいテーマを出し合うところからはじめます。

・考える(どうして人は考えるんだろう)
・家族
・お金(なぜお金がでてきたのだろう)
・ともだち(なんでみんなケンカするのだろう)
・勝ち負け

という5つのテーマが挙がります。

このなかからどのテーマを選ぶのか、志帆さんがみんなに選び方を聞いたところ、「多数決」と「あみだくじ」という二つの意見が出てきました。「じゃあ、この二つの選び方からはどう決める?」という問いに場はざわめきますが、まずは多数決でどちらかを決めることに。僅差で「あみだくじ」に決定。あみだくじもこどもたちに作ってもらい、選んだ結果、テーマは昨年にも話したテーマ「お金」に決まりました。

この選び方について、事前に志帆さんと話しをしていました。テーマ決めからやってみるのは簡単そうにも思えるけど、一人ひとりが考えてきてくれた大事なテーマなのに、自分のテーマが選ばれなかったときに内心はがっかりするんじゃないだろうか。犬てつは自分の考えが大切にされる場だと言っているのに、提案したテーマが多数決で簡単に否定されたとしたら、傷つく子だっているんじゃないか。

じゃあ、どうすればいいんだろうと考えるなか、選び方もみんなで決める、決まらなければ決まらないで無理に決める方向にまとめないということで、決め方も提案してもらうところからはじめた経緯がありました。

あみだくじでテーマは「お金」に決まりましたが、決まったからといって、それが絶対というわけではない。みんなの考えはまだまだ尊重されていることを伝えるため、志帆さんは「どうしてもこのテーマが嫌だったり、別のテーマにしたいという強い希望がある人は言っていいよ」とフォローを入れます。

でも、久し振りの犬てつを楽しみにしながら、頭をめぐらして別のテーマを考えてきたリピーターのこどもが一人、昨年と同じテーマが選ばれてしまったことに、この時点でまったくやる気をなくしてしまった様子がうかがえます。もう一人のこどもも、今年の一月に別のところで行ったてつがく対話以来抱えていた「考える」についての問いをテーマにしたかったようで、あまり表には出さないものの落胆しているようです。「みんな」が満足するような場を作りだすのは難しい。でも、志帆さんが何段階かのプロセスを踏んでくれたおかげで、この子たちからは残念さは滲みでていても、否定されたという気持ちはあまり感じられませんでした。テーマもみんなで決めると楽しいはず！と思ったものの、事はそう単純ではないことが実感されます。

会話と対話の違いとは。
問いが深まるとはどういうことか

次いでこどもと大人の別々タイムです。大人の方では「お金」にまつわるテーマについての問いだしからはじめます。

・「使う」と「貯める」の考え方はどう違う？
・親がこどもの価値観にどこまで口を出していいか？
・お金はいくらあれば生きられるのか？
・「お金」と「生きる」はどれくらい密接に関わっているか？

このなかから多数決で、「「お金」と「生きる」はどれくらい密接に関わっているか」という問いに決定しました。そして、これをもう少し具体的で話しやすくするにはどうしたらいいかということで、「お金なしで生きられるか？」という問いにシフトしながら対話が進められます。

—— 生存するために必要なお金と、満足できるためのお金は違う。

—— どれだけお金があっても、満足できない人はできない。

—— 「自然」があれば数日はお金なしで生きていけるかもしれないけれど、文明社会のなかで生きるためにはお金は必ず必要になってくる。

—— お金は生まれ育ってきた「価値観」に大きく影響される。だから共通の話題にしづらくて避ける傾向がある。

—— 環境は同じでも兄弟でも違うから、性格も影響している。

といった話が出てきましたが、あっという間に時間がきて終了となりました。はじめての進行役は本当にひやひやもの。「お金」というテーマから話は別のレベルに移ったものの、これで問いが深まったと言えるのだろうか？ これはてつがく対話なのかな？　という疑問をみんなに投げかけながら手探りでの対話となりました。

お金の起源、値段の謎。そもそも価値とは何なのか

最後の合同タイムは大人とこどもの対話の内容を共有する時間です。こどもの方の話を志帆さんが発表します。

去年の犬てつで「お金」をテーマに話したときは、こどもの方では「お金は誰が作ったのか？」という問いから、「お金は必要か？」という問いに深まっていきましたが、今回は「お金はいつできたのか？」といった問いがいくつか出るなか、「なぜ値段は決まっているんだろう？」という話になり、「値段は価値によって決まる」という意見が高学年のこどもから出てきたようです。

今回の参加者は小学三年生を中心に、一年生から六年生までの幅広い学年のこどもたち。一年生にもわかるように言葉を

選んで説明するよう伝えられ、「価値」と言った子はこう言い換えます。

―― 価値っていうのは、どれだけいいものかっていうのを同じくらいのお金と引き換えることができるもの。

志帆さんはそこにさらに問いを継ぎます。

Q 値段と価値は関係するの？

―― 価値にもいろいろありそう。

―― 価値には「モノ」の場合と、「人」の場合がある。

モノの価値、人の価値。こどもに価値はある？ない？

「人の価値」という話が出てきたときに、こどもたちのなかで何かスイッチが入ったようです。人に価値はあるという意見と、人に価値なんてつけられないという意見に大きくわかれ、そこで例に挙がったのがお笑い芸人。

―― 芸人さんはお笑いでお金をもらってる。

―― それは人に払っているんじゃなくて、仕事に払ってるんだ。

―― 能力に対してお金が払われている。

―― 能力は人に備わっているものだから、人に価値があるんじゃないか。

―― そういえば、ゴロゴロしていてもお金は入ってこない。

―― ゴロゴロしているやつには価値はないって言われるよね！

―― ということは働いてないと価値はないってことで、こどもには価値はないの！？

―― 人間はそもそも価値をもってるんだけど、大人になってはじめてそれが出せるんだ。だから、こどもにも価値はあることはある。

こどもたちのストレートで本質的な話の展開に、聞いている大人たちの心もざわつきます。お金をもらえない人間は価値がないと、こどもに伝えてしまっているのではないだろうか？　普段何気なくこどもに投げかけているような言葉が、客観的な形で自分にはねかえってきます。

志帆さんはこれに対して「じゃあ、価値はどこにあるんだろう？」という問いを投げかけます。

それに対して「心のなか」「頭」「命」という答えが挙がるなか、「命はお金にかえられないよね、だから人に価値はない」という意見もでます。そして、こんな意見が続きます。

―― 高すぎて値段がつけられないくらいのものだから、価値がないわけじゃない。

―― 小さい蟻にもすごく高いお金を払う人がいるかもしれないし、払わない人もいる。

―― 価値っていうのは、値段じゃない。

Q　命はなんで値段がつかないの？

―― 命は秘密に囲まれているから値段がつかないんだよ。

といった詩的な答えも飛びだしてきたようです。最後に志帆さんはこう問いかけました。

Q　価値ってどんなの？

―― 総合して、日々の僕を見てくれ。

―― すぐには見せられないけど、ある。

―― ない。

―― あるんだけどない、ないんだけどある。

ないのかあるのか断定は難しいけれど、お金には換算できない価値のあり方が対話をとおしてそれぞれに見出された様子です。同じテーマを扱っても、人、場、タイミングによってまったく違った対話が紡がれる。大人同士の煮詰まりがちな対話の後に聴くこどもたちの言葉は、なおさら新鮮に響きます。

でも、集中している子もいる一方で、傍から見てると、寝転んだり、うろうろしたり、やりたい放題してるようにも見えるこどもたち。そこからこれだけの言葉を引きだせる志帆さんマジックには、いつも驚かされます。見かけはどんなに勝手にしていても、こどもたちは対話に参加し、聴いているという絶対的な信頼が志帆さんにはあるようです。一人ひとりから漏れでる言葉に集中して耳を傾け、それを一つずつ丁寧に拾い上げる積み重ねが、これだけの密度をもった対話となって表れているのだと思います。

考えながらチャレンジするのが犬てつスタイル

こどもたちの対話の内容を聞くのが大人たちのいつもの楽しみ。対話後のアンケートにもこどもの対話の様子が見てみたいという意見がたくさんありました。大人と一緒だとこどもたちは親の目や評価が気になって、いつものようには話せなくなるかもしれないし、大人もわが子の発言に神経をとがらせてしまうかもしれません。でも、リピーターのこどもたちの間では「犬てつ＝ともに考え、話し合う場」というあり方が、予想以上に定着してきているように思えます。やってみようと思えるだけの土台は整ってきたということで、いよいよ次回犬てつは、すべてこどもと大人の合同でやってみようと思います！

まずはやってみようと思えばチャレンジする。そして、やる前にも、やりながらも、その後にも考える。それが犬てつスタイルかなと思います。

そんなこんなで今年度の犬てつも素敵なスタートをきりました。志帆さんと一緒に進行役のやり方とあり方を対話を通して考える、「こども哲学進行役・実践ワークショップ」も、大人を対象に平日開催することに決まりました。みなさまのご参加、お待ちしております。

命は秘密に囲まれているから
値段がつかないんだよ。

2 今回のテーマ　家族

進行役：安本志帆さん　2018.7.8.sunday

今回はすべての対話をこどもと大人が合同で行います。こどもはみんな一度は参加したことのあるリピーター。大人は大学生や、哲学横丁なごやのつながりで来てくれた、あたまの中を散歩するてつがくカフェさんなど、新しい方もいらっしゃいます。

対話に入る前にアイスブレイクとして、大人とこどもの混合チームにわかれてペットボトルの蓋の積み上げ合戦。どのチームが一番高く蓋を積み上げられるか競争です。土台を広くしたり、表裏を重ねて安定させてみたり、チームのなかでアイディアを出し合います。大人もこどもも真剣（意地？）になって一緒に積み上げているうちに、気持ちもほぐれてきた様子。その流れに乗りながらみんなで車座になり、こどもと大人の対話がはじまりました。

家族ってどんなもの？
ドラえもんとのび太は家族？

Q　「家族」のイメージってどんなもの？

という志帆さんの問いに、最初にでてきた答えが「大切なもの！」

さすがのこどもの意見に大人からはホーッと声が漏れます。次いで、お父さん、お母さん、おじいちゃん、おばあちゃん、こども、きょうだい（兄弟姉妹）という形で家族だと思える関係が次々と挙がります。「おばちゃん」という声に、「それって家族になってる？」というツッコミも。他に出てきた家族に関するイメージにはこんなものがありました。

―― 家。

―― 家に住んでる一族。

―― 暮らし。

―― サザエさん。でも、サザエさんの家族ってややこしい！　こどものこどもやペットもいる！

―― ちびまる子ちゃんの家族。サザエさんとこよりは人数が少ないけど昭和な感じ。

―― 結婚してたら一緒に住んでなくても家族で、東京と大阪に別れて住んでいても家族。

そこに大人からこんな問いがでてきました。

Q　ドラえもんってのび太と家族なのかな？

これを聞いてみんな一斉に頭をひねりはじめます。これをきっかけに、まずは「家族」に関する問いだしをすることになりました。

Q　こどもが生まれないお父さんお母さんが、別の人からこどもをもらったときは家族？　血のつながりがない人同士は家族になれる？

Q　結婚する前にも家族はいたけど、結婚してこどもが生まれると新しい家族ができるの？

Q　血のつながりがあれば家族と言えるんだろうか？（ちょっとダークな話題かもしれないけど……）

Q　血のつながりってみんなあるはずなのに、今見えている家族は何？（だって、最初は海にいた生物で、そこから派生して人間になったから、みんな血のつながりはあるんじゃない？　人類は元は一つだから。）

Q　家族はどうしてみんな一緒にどこかに行くの？（遊園地とか）

　このなかから問いを一つに絞ります。どうやって決めるかという段になって、こどもたちから前回と同じく「あみだくじ！」の案が出て、それで決まった問いがこれ。

Q　ドラえもんはのび太と家族なんだろうか？

　「ドラえもんはのび太くんと友達だよ」という意見をかわぎりに、「友達は家族になれないのかな？」「一緒におやつ食べたり、ご飯食べたりしてるから、友達よりも家族に見える」と話が広がります。

Q　家族に見える、見えないの違いって何？

―― ロボットだから。

Q　「家族」と「家族っぽい」の違いは何だろう？

―― 家族は本当の家族で、家族っぽいのはそうでない人。

Q　ドラミちゃんはドラえもんの家族なの？

―― 製造元が一緒なだけ？

―― ドラミちゃんとドラえもんはとても家族に見える。

Q　ドラえもんとのび太と、ドラえもんとドラミはどっちが家族っぽく見える？

―― あの二人の特別感は家族に見える。似てるし。

―― でも、血のつながりは……ないよね……。

―― 未来の世界で一緒にいた期間が長い。

―― ドラえもんに似たロボットが、ずらっとベルトコンベアに並んでいるところを見たことがある。それが全部家族だとは思えない。

―― 同じ人から作られたから兄妹なんじゃないか。

―― ドラえもんとのび太は似ているところがある。どじで怖がり。家族で似ている。

―― 他人に見られて「家族」と言われて家族になるんじゃないか。

―― ドラえもんたちにはお母さんがそもそもいないから、住んでいるところで家族が変わる。ロボットは一緒に住んでいる人と家族になる。

家族はどうやって線引きするもの？大切なのは期間？ 気持ち？

どうやら家族っぽく見えるには「期間」が重要という流れになってきました。志帆さんはその前提が本当かどうか問い直します。

Q 家族はどれだけ一緒にいたかということで決まるのかな？

―― いろんな人と一緒に住んだことはあるけど、家族とは違った。大人は一緒に住んでも友達は友達同士のまま。家族になろうと思わなければ家族にはならない。

―― 魚はいっぱいこどもを産むけど、全部が家族とはあんまり思えない。数が多すぎると家族にはなりにくい？

―― こどもの頃は、家族は自分で決められるものだとは考えたこともなかったけど、結婚するときに、はじめて家族は自分で作れるものだと思った。

―― 新しく生まれた赤ちゃんは家族だと思えるまでに時間がかかる。期間って重要？

Q 期間が長ければ、他人でも家族と思える？

―― 小さいころは妹を家族だと思ってたけど、大きくなっていろいろ話ができるようになると、友達のように思えてきた。期間が長くなるほど友達に思えるようになった。

Q 期間でもなさそうだと、家族ってどうやって決まるんだろう？

―― 気持ち。

―― 制度だと、気持ちが離れると家族じゃなくなる。離婚制度がある。

最初は遠慮がちだった大人もこどもに交じってどんどん意見を出すようになってきました。場の意識が集中しはじめ、みんなの考えるスイッチが入ったという感覚が伝わってきます。

そのときこどもからこんなアイディアが飛び出しました。

―― ドラえもんとドラミは「いとこ」なんじゃない？

予想外のポイントに思わず笑いの声も漏れますが、意外と距離感はいい具合かも。

Q　いとこってどんな感じ？

―― 家族と友達が混ざった感じ。

いとこという新たな関係軸が出てきたことで、場の流れがまた少し違う方向に向かいます。

―― 家族の線引きは自分で決めている。

―― いなくなったときに悲しいと思えるのが家族。遠い親戚はあんまり悲しくない。

―― 結婚すると相手の家族も家族になるけど、弟の新しい家族は自分にとっての家族とはあまり思えない。家族にもグラデーションがある。

―― 元々はみんな家族と言えるかもしれないけど、気持ちが薄くなったら友達くらいの関係になったりする。

―― 会ったこともないような遠い親戚は家族じゃない。

本当は家族って努力して作るものかもしれない

そこに家族についてのアイディアがまた一つ出てきます。

―― 家族は一つじゃなくていろんなジャンルがある。○○の家族とか、ラベリングすればいいかも。たとえば血のつながった家族とそうでない家族。

この提案からさらに話は深まります。

―― 特別養子縁組とかで、血のつながりのない子をこどもにした場合、その子には産んだ親と、新しい親と二つの家族があるはず。

―― 産んだ方が本当の家族。血のつながりがあるから。

―― 何歳かが重要。赤ちゃんのときに養子になったら、新しい家族が本当の家族になる。産んだ親は親戚くらいになる。

―― 新しい家族は家族になろうと思ってその子をもらって、産んだ親は家族になれなかったから手放したんじゃないか？

Q　新しいお父さんお母さんは家族なの?

—— ある意味、お父さんとお母さん。

—— 短い期間だと家族だとは思えない。

—— 家族は努力しないとなれないんじゃないか?　血がつながっているだけで家族だと思いこんでる人もいるけど、本当は家族は努力して作るものじゃないか?

ここでもまた「期間」の話が出てきました。家族にとって「期間」は重要?　そして作る努力が必要なもの?

Q　家族は作るもの?

—— それか、作られてるもの。

Q　家族は所属しないといけないもの?

—— 家族がいない人もいる。

—— 家族は作ったり、作られたり、いなくなったりする。

—— 反抗期のときに家族が煩わしくなったけど、大きくなると家族は一番頼れる関係にある。

—— 外から見て家族だと判断されるものと、自分がどうとらえているかは違う。家族だからといってずっと守られるものではない。家族は外から決められたものと思ってたけど、自分で決められるものでもある。

—— 心が離れなかったら家族。

家族のイメージは大切なものという、最初に出てきた意見につながるような話にもなりますが、「さっきから話がぐるぐる回っているよね」という言葉も出てきます。

もう一度最初の問いに戻る。家族かどうかは気持ち次第?

志帆さんは最後に、ドラえもんはのび太と家族かどうか、もう一度最初の問いに戻ってみんなの意見を聞きます。

—— ドラえもんとのび太は友達。

—— 自分が家族だと思えば家族。

—— ロボットだから家族と言えない人もいれば、言える人もいる。

—— ロボットだから家族にはなれない。

—— 自分たちで家族だと思えば、ロボットも家族になれる。

—— ドラえもんと一緒に住んだら、自分は家族だと思えるけど、ドラえもんにそう思ってもらえるかどうか自信がない。

—— ドラえもんはのび太を家族だと思ってる。行動をみてるとわかる。

—— けんかもするし、一緒に遊んだりしてるから、家族……かもしれない。

—— 両方が家族だと思ったら家族。片方が家族だと思っていても家族にはなれない。

—— のび太のお母さんとドラえもんは家族なんだろうか？　のび太とドラえもんが家族だと、ドラえもんとお母さんは家族になるのかな？

—— 昔は飼ってた犬と自分は家族だと思ってた。

—— のび太のお母さんはドラえもんを叱ったりもしてるので、家族だと思ってる気がする。

—— ドラえもんはぬいぐるみみたいなもの。

—— ドラえもんは人形みたいだけど、自分で考えられるから、のび太とは・・・かもしれない。

—— 仲がいいし助けてもらっているから、のび太とドラえもんは家族。

—— のび太たちは家族としてずっとそこにいたけど、ドラえもんはそこに未来から来た人だから、ドラえもんの気持ちは別かもしれない。

—— ドラえもんはもともと家族がいないから、誰とでも家族になれる。

最後は今までにないくらいいろんな意見が出てきて、一人ひとりみんながそれぞれの家族についての考えを、対話をとおしてふくらませたことがわかります。これまでまったく発言したことのなかったこどもが、どうしても気持ちを伝えたくなって手をあげて「ドラえもんとのび太は友達だ」と言ったり、「家族」という言葉がつかえなくなって「・・・」かもしれないと、名指さないことを選んだり、いつもは発言するけど気持ちがのらずに参加できなかった子が、最後に血のつながりとはまったく違った基準で家族を語ったり、一番発言して場をひっぱってくれていたこどもが、最後に「ドラえもんは誰とでも家族となれる」と言い切ったり。それぞれが

自分なりの考えを胸にもち、発言しないではいられないような、そんな対話になったように思います。

こどもと大人の対話は可能か。合同、別々、それぞれの良さがある

こどもと大人で一緒に話ができるかな？とやってみた回でしたが、結果としてはほとんど問題なく対話ができたように思います。でも、じゃあ毎回合同でやっていこうかとなると、う〜ん、毎回でなくてもたまにこういう回があるのでいいかな、というのが私と志帆さんの感想。その理由にはいくつかあります。

・今回は6年生のこどもが対話をぐんぐん引っ張ってくれた。こどもが発言できるかできないかは、参加メンバーにかなり左右されそう。

・「家族」のテーマがそれぞれの実感をもって語れるテーマでよかった。

・大人と一緒に話せることでいつもより頑張った子もいる一方で、親の顔色をうかがうような子もいた。

・こどもにたくさん話をさせよう、考えさせようと、大人が発言をセーブすることがあった。

こどもと大人で対話したい！と思ってはじめた犬てつですが、実際にやってみると意外なことに、もうしばらくはこどもと大人別々の対話をベースにするのでいいかなという考えに至りました。というよりは、別々には別々の良さもあるし、合同には合同の良さもある。こどもにも別々の方が話しやすい子もいれば、合同の方が張り切る子もいる。大人にとっても、別々の方が話しやすかったり、合同の方がよかったりする。こうと決めずに、いろんなやり方を試していくのがよさそうです。

ということで、次回の夏休み特別企画では、これまでの犬てつの活動ではやったことのない、屋外に出て散歩しながらひらめきポイントを探したり、絵をみて話し合ったり、自分用の問いカードを作ってみたり、こどもを中心としたいろんなアクティビティを取り入れてみる予定です！みなさまのご参加お待ちしています。

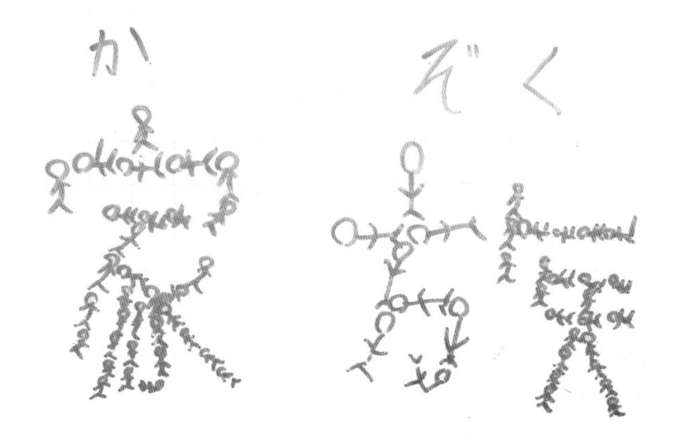
かぞく

犬てつコラボ企画　夏休みこどもカルチャー講座編

3 今回のテーマ 考えるを楽しもう

進行役：安本志帆さん　2018.8.18.saturday

NPO法人こどもサポートクラブ東海さんが毎年開催している夏休みこどもカルチャー講座は、こども向けのいろんな体験ができるワークショップやイベントが目白押し。犬てつもこどもを対象としたてつがく対話のコラボ企画を行うことになりました。普段の犬てつではやったことのない、いろんなアクティビティを取り入れた三つのワークショップからなる、犬てつ夏の特別企画です。

第一部　てつがく散歩
青空の下、じっくり言葉と向き合う

オランダの哲学者ピーター・ハーテローが考案したという哲学ウォーク。言葉にぴったりの場所を探しながら歩き、参加者が互いに質問し合うことをつうじて思索を深めるワークです。

今日はそのやわらかお散歩バージョン。会場から少し歩いたところには、源頼朝の愛馬磨墨を葬ったとされる塚のある磨墨公園や、小牧・長久手の戦いで秀吉方の砦として守備された羽黒城址の竹林園などがあります。

はじめに志帆さんが用意してくれた言葉を参加者がくじのようにして引き、自分だけで言葉を（心のなかで）確認します。志帆さんが選んできてくれたのは、ドラえもんや、金子みすゞの詩から引かれたこどもにもわかりやすい言葉でした。そして、のどかな田んぼ道を歩いて、公園をめざす散歩に出発です。

てつがく散歩のルールは簡単。自分が引いた言葉にぴったりだと思う場所をみつけたら、みんなの前で言葉を披露。どうしてそう思ったかを伝え、ほかの参加者はそこで浮かんだ問いを投げかけます。その場ではそれ以上の話はせず、言葉を披露した人はその問いのなかから一つの問いを選んで、持ち帰りながらじっくりと考えます。

言葉を頼りに自分なりの風景を発見し、思ってもいないような質問を受けることで、いつもとは違った集中力を要する散歩になります。稲の下の水のなかにたくさんの貝や生き物をみつけ、通りすぎた後にそこが自分の言葉にふさわしい場所だったことに気がついたり、ぴったりの場所が見つからなくて最後まで披露しそびれてしまった子もいる一方で、「時間」にまつわる言葉を引き、夏休みの海外旅行での時差の経験から、時間は二度とかえってこないものかを考えたりするこどももいました。

志帆さんによれば、てつがく散歩は質問力が重要になるとのことでしたが、その場でいい問いを考えだすことはなかなか難しい。でも、青空の下、「時間」、「違い」、「美」といったテーマについて考えたてつがく散歩は、普段とは違う考え方が湧き上がるきっかけになりました。

第二部　アートでてつがく対話
教育とは違う、絵の楽しみ方

部屋に戻って一息ついたら、こんどは第二部のスタートです。用意したのはアンリ・マチスの切り絵の版画。抽象的なところもありますが、人や海藻、サボテンのような形が見て取れる絵から、こどもたちの想像の世界はどんどん広がります。

普段の犬てつではなかなか集中力が続かなかったこどもも、今回の絵を使った対話では次々と自分の感想を言って場を引っぱってくれます。

―― 色によって海藻の種類が違う。

―― サボテンみたいにも見える。大きいのはボスサボテン。

―― 音符みたいにも見える。

―― 手をあげて喜んでいる。

―― バレエみたい。

―― ウサギに見える。

―― 色のラインは何だろう。

―― ヘビみたいにも見える。

Q　絵にタイトルをつけるとしたら?

- 「サボテンの逆襲～そしてはじき返される」
- 「ヘビと人間の踊り」
- 「ウサギと人間のスピードかけっこ」
- 「人間がわかめに巻かれる」
- 「わかめに会えてうれしい人間とウサギ」

・「ウサギと人間と飾り」

・「人が食べてお腹から出ようとするわかめ」

・「海のバレエ大会」

・「ウサギと人間の協力バレエ」

みんなが次々と独創的なタイトルをつけた後、今日考える問いを出し合います。

・赤いのは何だろう？ 何してるんだろう？

・絵に描かれているモチーフは合わさって一つの絵なのだろうか？

・くりぬかれているわかめみたいのは一体何？

・結局この絵は何なのだろう？

・何をあらわしている絵なのか？

・本当に海のなかなのか？　もしや陸？

・バレエを踊っているのかな？

・絵の題名は何だろう？

・誰が描いた絵？

・色を分けている理由はあるのか？

・なんで白、灰色、水色が多いんだろう？

絵の内容やタイトルといった「答え」を求める問いもたくさん出てきましたが、最終的に全員一致で選んだのはこの問いです。

Q　「色を分けている理由はあるのか？」

こどもたちは意識的か無意識的にか、正解が簡単には出てこないような、てつがく的な問いである「色」を選びだしました。考える楽しみが多い方を選り分けた直感に驚かされます。そして、「絵を描くときには色は現実のモノの色を見て決める」「好きな色を自由に使う」といった話から、「表現」するとはどういうことなのかという話や、「色と気持ち」「リズムと音」の関係や、「言葉と音の色」といったところにまで対話は広がっていきます。絵を触媒にしながらも、具体的な絵の内容だけではなく、そこから広がる芸術や、感性の問題にまで触れることができたのは、とても豊かで創造的な時間でした。

第三部　てつがくカードを作ろう　自分なりの問いを深める時間

前半でてつがく対話をしてから、後半では自分で考えた問いについての「てつがくカード」を作ります。前半のてつがく対話に準備していた問いはこれ。

Q　虫や魚は捕って遊ぶのに、人はどうして捕って遊ばないの？

それに対してこどもたちは次々と意見を言います。

―― 魚や虫に「捕らないで!」って言われたら捕らない。

―― でも、人間にはわからない言葉で言ってるかも?

―― 言葉の代わりに黄色い液体とかを出して全身で訴えている?

―― 自分がつかまえられるのが嫌だから、人は捕らない。

―― 虫の言葉がわかって「捕らないで」と言われたら捕らないし、謝る。

どうやら言葉が通じるかどうかが重要な決め手のようです。志帆さんはさらに問いを投げかけます。

Q 人間の赤ちゃんも言葉で「嫌」って言えないから捕ってもいいの?

―― お母さんがいるから捕っちゃだめ。

―― 同じ人間だからダメ。

―― でも、もしみんながやっていて、警察もつかまえなかったら「赤ちゃん捕り」やるかも。

―― でも、捕ってきて育てる自信がないから親に確認する。

―― 捕ってきた赤ちゃんは家族ではない。

前回の犬てつでもテーマにした「家族」の話が、ここでも問題になってきます。いくつもの問いが交差するなか、モヤモヤとした気持ちが高まってきたところで、次にてつがくカード作りです。一人ひとりが頭をひねってカードにしたためた問いにはこんなものがありました。

・人にはなぜ男と女があるんだろう?
・なんで嫌いなものを食べろというの?

こうして浮かび上がった問いに自分なりの答えを考え、カードに書きます。その答えからさらに浮かび上がる問いを志帆さんが投げかけて、答えを書く。それを繰り返すなか、それぞれに考えを深めていきました。

ほとんど発言しないこどもも、一人ひとりが自分なりの問いや答えをもっています。でも、普段ならぼんやりそう思っているだけにすぎないことを時間をかけて深めていくことで、それまで考えてもいなかったようなことに気がつき、いままで見えてなかった世界が見えてくる。

短時間のワークショップでしたが、はじめててつがく対話をしたこどもたちも自分に向き合い、いろんな考えを頭に巡らせながら、自分だけのてつがくカードを作り上げ、大事に持ち帰っていきました。

借り物ではない、自分の言葉を見つける作業

これまでの犬てつではやったことのない試みばかりでしたが、少人数で取り組めたので、じっくり、ゆっくりした時間がとれて、それぞれのペースで考えを深めていけたように思います。また、いつもの犬てつメンバーとは違ったこどもたちに触れることで、こどもにもいろんな考えるタイプがあることを実感します。ぐいぐい発言する子、聞いてないようで聞いていて要所でポンと発言する子、自分のなかでじっくりと問いをあたためようとする子、芯が強くて考えていることはあるんだけどそれを表現する言葉がまだ追いついていなくて考えを取り扱いかねている子、一旦言葉を発しはじめると溢れるように話しはじめる子、周りの様子を観察しながら気持ちを小出しに話す子。

いろんなタイプのこどもたちがいるけれど、それぞれのやり方で対話の場に参加しながら、耳を傾け、頭と心を研ぎ澄ませ、思考を紡ぎだしている。そこから漏れでる一つひとつの言葉は、どんなに拙くても、あるいは拙ければ拙いだけ、一人ひとりから生み出された言葉であることがわかります。借り物ではない自分の言葉を見つけるのはなかなか難しいけれど、借り物を使いつつも身体から出てくるような言葉。そうしたものに出会える宝箱を開けるような瞬間がいくつかありました。

今後の犬てつの活動につながるヒントもたくさん。「てつがく散歩」は、てつがく対話の経験がないとちょっととっつきにくいかな、わいわい話せるようなルールを新しく考えた「お散歩対話」があってもいいな、「アートでてつがく対話」はまた犬てつでもやってみよう、「てつがくカード」は時間をかけて自分の考えを練り上げたい子にはあってるな等々、いろいろな考えが浮かび上がる刺激的な一日でした。ご参加いただいたみなさま、ありがとうございました。

おひさまのにおい

田んぼの草の濃いにおい

夏の風の気持ちいいにおい

4 今回のテーマ　宇宙人に会ったら何話す!?

進行役:安本志帆さん　2018.9.8.saturday

夏休みが明けての犬てつです。参加申し込みの出足が遅かったので、今回もこどもと大人が合同で対話することにしましたが、蓋を開けてみるとはじめての参加者もたくさんの20人を超える満席に。

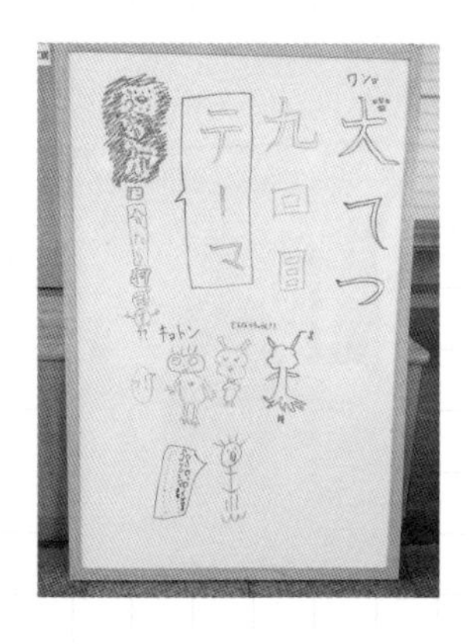

「学校」や「勉強」のテーマも考えましたが、はじまったばかりの学校の緊張や疲れをほぐそうと、志帆さんから提案のあった「宇宙人に会ったら何話す!?」に決定。以前に実践ワークショップで取り上げた「魚は何を考えている?」という明らかに正解のない、自由で気楽な問いでも深い話につながったので、「宇宙人」のテーマにこちらもノリノリです。

頭のギアが加速する てつがくおしゃべりカード

対話に入る前のアイスブレイクは、「てつがくおしゃべりカード」を使ったフルーツバスケットのようなゲーム。カードに書かれた問いに対して、自分がそうだと思う答えを言って、それに賛同する人が席を移動し、あぶれた人が次のカードを引いて読みます。

「泥棒を好きになれる?　なれない人は動いてください!」

「おばあちゃんが間違えたことをしていたら注意してもいい? いいと思う人!」

「上手に描けた絵なのに、綺麗じゃないってことある? ないと思う人!」

「お父さんが赤ちゃんを産めるようになったら、嬉しい人?」

このカードは難解な問いも含まれていて、こども相手にはちょっと難しい気がしていましたが、こういうゲーム感覚での使い方は面白い!　自分の考えを瞬時に感覚的に判断し、他人の様子もうかがいながら席を争う!　考える頭のギアが一気に加速してきました。

最初に思い浮かぶのはどんなタイプの宇宙人？

次いで、てつがく対話のはじまりです。まずは10分ほど時間をとって、それぞれに考える宇宙人の絵を紙に描き、どんな宇宙人を描いたのか発表します。

── どこかで見たことのあるような「宇宙人」のイメージがインプットされていて、それを描いた。

── ツルツルしたクラゲっぽい質感。

── モヤモヤしていて見えないか、どこにでもいるようなもの。

── 宇宙人はいない。

── こんな宇宙人がいたらいいなと思って、三つ目だったり、手がいっぱいあるのを描いてみた。

── 手のひらの上に乗るくらい小さい宇宙人。

── 妖怪みたいなもの。

── いくつか描いたなかでも一番可愛いく見えるこの宇宙人が毒をもってて、しかも姿が見えない。

── タコイカ的な宇宙人のイメージにとらわれて抜け出せないけど、なんとなく水のなかに生きてるような気がする。

── アメーバみたいだけど、光合成や宇宙にある元素で生きていける葉緑素的なセンサーがついている。

── お化けみたいになった。

── すごく小さくて、人間の9分の1の大きさ。

── 火星に住んでる宇宙人は赤くて、太陽に近い星にいるのは水分がないので灰色。

絵に描いてみると、それぞれのイメージが似通っていたり、違ったり、ディティールにこだわっていたり、大ざっぱだったり、それぞれの宇宙人に対するイメージが具体的に見えてきます。

宇宙人はいる？ いない？ どちらでもない？ わからない？

次はいよいよ、みんなが描いた宇宙人を床に広げて対話スタート。「宇宙人はいないと思った人もいるね」と志帆さんが話しはじめると、すかさず、「いないと思ったけど描いた！」という子も。じゃあ、「何でいると思うのか？」「何でいないと思うか？」をまずは話してみようということになりました。それぞれが支持する理由を話します。

「宇宙人はいる！ 多分いる」派

―― 地球にいるなら宇宙にもいるはず。

―― 人間だけだとつまらないから宇宙人がいた方が面白い。

―― 何億個もある星に一つくらいはいるかも。

「いない！」派

―― いたらもう発見されているはず。

―― おとぎ話。

「どちらかわからない」派

―― 水がある星もあるって聞いたから。

―― 住みやすい星があればいるかも。

―― 太陽に近いと宇宙人も溶けちゃうかも。

Q　今までの話は地球の外にいる宇宙人の話だけど、もし地球にいたらどうする？

―― 人間にとって住みやすいところは、宇宙人にとっては住みやすくないかも。

―― 地球には宇宙人がいると思う。見えなかったらいるかどうかわからないけど、変な事が起きるときは宇宙人がやっていると思う。

―― 人間にとって「草」とか思ってるものも実は宇宙人で、人間がいないときに動いているかも。

Q　宇宙人は動くもの？

―― 動く！ 宇宙人だから。

―― 動く宇宙人もいるし、動かない宇宙人もいる。

―― 人間が見てないときに動いてる！

人間が起きる前に元の場所に戻ってる。

―― 見えない宇宙人は地球でも動いているかもしれないけど、見えないからわからないだけ。

Q　もしかしたらこの「ペン」も宇宙人かも？

―― 宇宙人はいると思うけど、「ペン」は人間が作ったものだから宇宙人じゃないと思う。宇宙人は誰かが作ったものではないはず。

ペンは宇宙人ではない説に、論理的ともいえるような理由がつけられることによって、思うことを口々に話していた対話が別の局面に進みます。この話をきっかけに、「ペンは宇宙人かどうか？」で話がはずみます。

ペンは宇宙人かどうか。そもそも私たちも宇宙人？

Q　ペンは宇宙人じゃない？

―― でも、材料に宇宙人が含まれてたら宇宙人かも？

―― 人間が作ったものじゃなくて、自然のものは宇宙人かも。

―― もしかしたら宇宙人が人間の脳に入りこんで、「こういうものを作れ～」と操作してるかも。

―― 確かに人が作ったものだけど、その後に見えない宇宙人が憑りつけば宇宙人になるかもしれない。

―― 宇宙人は菌糸性で、ペンには宇宙人のばい菌が憑りついてるかもしれない。

はじめは宇宙の彼方にいる遠い存在だった宇宙人が、対話を進めていくことでだんだんと身近にいるものとして想像がふくらみます。

そんなとき、それまで発言してこなかったこどもから、こんな意見がポンッと飛び出します。

―― 「宇宙人」という言葉があるから宇宙人はいる。

みんな少し虚を突かれた感じで、一瞬場が静まります。言葉と存在の問題です。でも、それについて誰も言葉を継げません。しばらくして、「地球も宇宙だから、私たちも宇宙人」という話がでてきて、みんながなんだかざわついて、納得したような納得しきれないような雰囲気が漂ったところで、いよいよ今日のテーマ「宇宙人に会ったら何話す!?」に移ります。

宇宙人に会ったら何話す？
食べられるか食べられないか

「Q　宇宙人に会ったら何話す?」の問いに対する第一声が、「どんな宇宙人かによる!」ということで、絵のなかから宇宙人をいくつかのバージョンにわけてみます。出てきたのは、次の三つ。

・人系
・よくわからない系、丸み系
・タコイカ系

まずは「人系」に会ったときにする話。

・どこに住んでるの?
・何食べるの?
・キッチンある?
・私にできるこんなこと、あなたはできる?
・名前は何?
・何語しゃべる?
・話が通じないかもしれないからジェスチャーでやる。
・おなか空いてる?
・どれくらい遠い星から来たの?
・楽しいとか嬉しいとか悲しいとかの感情はありますか?

「食べる」ことに関する問いがちらほら。ある地方では、初対面の人にもまずは「腹減ってないか?」というような挨拶するという話を聞いたことがありますが、こどもにとっても「食べる」ことが重要な意味をもっている様子。

次は「丸み系」に会ったとき。

・どうしてそんなに丸いの?
・人間とまったく形が違って感情もジェスチャーも通じるかわからないので、まずは警戒して攻撃してこないか様子を見る。
・同じ言葉が話せるか確認する。
・どんな形に変われるの?
・地球のすべての言葉で話しかけてみる。
・猫と仲良くなる時のように、見つめあって、言葉じゃない言葉で交流する。

じゃあ、「タコイカ系」は?

・ナイフで切って食べちゃう。
・切って食べたり、刺身にする。
・しゃべれるんだったら、「あんた食べていい?」って聞く。
・食べる前に毒をもってないか安全か調べる。
・食べずに一緒に遊ぶ。
・海の植物だからベトベトしてる感じ。

なんと、ここでも「食べる」ことが基本のようです!　野山や畑が身近にあって、新しい生物との出会いが自然を通してのことが多く、そのなかの一番の楽しみは野イチゴやむかご、イタドリといった食べられるものを発見することだったりする経験が豊富な犬てつっ子ならではでしょうか。宇宙人を通して「食べる」ことについての哲学的なテーマも考えられそう。

そういえば、私にとってずっと心の片隅でくすぶり続けている宇宙人も、「食べること」に関係するものでした。小さい頃に愛読していた手塚治虫の漫画に出てくる宇宙人。その宇宙人は、どこかの星で地球人と一緒にさまよっているのですが、宇宙人も地球人も食べ物が見つからずへとへとになってしまいます。そのとき、その宇宙人は自分の身体の一部を切りとって、地球人に食べるように差し出すのです！　最初は戸惑っていた地球人は、いつしかそれに慣れてきて、お腹が空くとその宇宙人を食べるようになる。そうして、いつしか宇宙人は小さな固まりになって動かなくなってしまう。その利他的な宇宙人と、利己的の地球人のありように、こどもの私は心底衝撃を受けたのでした。

それはさておき、最後に何系にも当てはまる問いがでてきます。

・どうやって生きているの？　エネルギー補給はどうしてる？
・地球は生きやすい？
・人間と同じように息してる？
・どこ（宇宙？地球？月？）のどこ（土？海？山？）に住んでる？
・住んでいる星はどんなところ？
・他にも君みたいな宇宙人はいるの？
・仲良しになったら一緒に君の宇宙に行ける？

というところで時間がきて終了となりました。

発言しなくても参加している。それが当たり前と思える場

最後に志帆さんから初めての参加者に、犬てつでのてつがく対話の心構えとして、次のような説明がありました。

・話を座って聞くことを良しとはしていない。
・この場で話すことだけが目標ではない。
・対話はここで終わるのではなく、家に帰っても続いている。

犬てつに参加するこどもたちがごろごろ寝転んだり、押し入れにこもったり、他の遊びをしだしたりする様子に、はじめて参加する大人たちはいつも戸惑いをかくせません。そういう私もこれでいいのか?とずっと自問してきました。でも、そうした場だからこそ安心して参加できるこどもがいるし、がっつり対話したいこどもも気負わず対話を続けられたりもする。

今日の対話も最後の方は、話したい子たちが輪に残り、他のこどもは周りでわいわい遊んでいました。でも、アンテナはピピっと張っていて、要所要所で話に入ってきたりもします。途中から寝転んでほとんど発言しなかったこどもに後で話を聞いてみると、「いっぱい頭を使って疲れた〜」と言っていました。家に帰ってから安心して話せたと言っていた初参加のこどももいます。がっつり話すことが好きなリピーターの子も、うるさいと思いつつも、遊んでいるようにみえるこどもたちから飛び出してくる、一筋縄ではいかない意見に触発されたりもしています。

今回とても心に残ったエピソードがありました。返しそびれた宇宙人の絵を片付けていると、中に白紙が混ざっていました。白紙だと思ってよけていると、こどもたちがこれは「宇宙人はいない」って言った子の紙だから、絵の方だよと教えてくれました。なくてもある。発言しなくてもそこに居る。こどもたちはそれを当たり前のこととして受け止めているようでした。

発言しなくても、うるさくても、遊んでいても、みんな犬てつに参加している。その可能性をもう少し探りたいので、犬てつはしばらくはこんなスタイルで様子を見ながら続けていきたいと思います。でも、いいところばかりではなくて、改善できるところもいろいろあるはず。実践を重ねながら、考えていきたいと思っています。参加された方々からの貴重なご意見、ご感想、いつもありがとうございます!

(パパ)
(子ども)
うちゅう人
うちゅうじん
うちゅうじん
人間
うちゅう人

これは、ペン型の宇宙人、かもしれない。

食べてみたら美味しい、かもしれない。

5 アートでてつがく対話 part 2

進行役：安本志帆さん

2018.11.10.saturday

芸術の秋ということで、夏にも好評だった「アートでてつがく対話」の第二弾です。

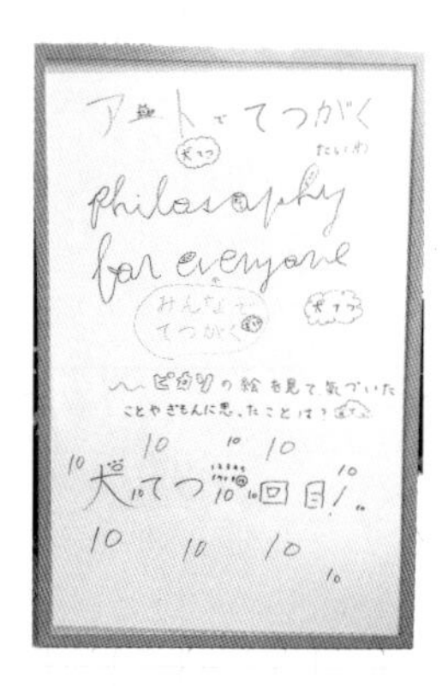

今回はピカソの絵画を準備しました。こどもたちは何の前知識もなしに、はじめてこの絵に向き合います。志帆さんと私のなかには、こどもたちが絵にきちんと向き合えば、知識なんか関係なしに本質的な話になるという確信がありました。

「聴く」と「聞こえる」の違い。好きな色と秋について

今回は、はじめての参加者が三組もいたので、対話の前にまずはコミュニティボールの役割と、「聴く」と「聞こえる」の違いについてこどもたちに確認します。

――「聞こえる」は虫の音とかが聞こえるけど、「聴く」は考えながら聴くこと。

――「聞こえる」は耳に入ってくるけど、「聴く」はその人の方を見て聴く。

「じゃあ、今日はみんなの話を「聴く」ことをしてみようね」ということで、「好きな色」と、「それはどんな素材のものか（クレヨンとか絵の具とか）」を一人ずつ話します。

―― クレパスのちょっと固い感じの色が並んでいるのが好き。

―― 暗い性格なので紫と黒。女を輝かせるような色。

―― さらさらっと柔らかく描ける絵の具の水色。

―― 濃く塗ったり薄く塗ったりできる色鉛筆が好き。緑とオレンジは組み合わせは色合いがいいから好き。

―― 水彩インクの水に溶けていく感じ。

―― 虹色。すべての色が混ざり合ってきれい。自然が生み出した色。

―― 油絵具のベージュの、明度と彩度のグラデーションのある油絵具のこってりした感じ。

―― クレヨンと色鉛筆と絵の具と葉っぱの色の青緑。

たくさんの色や素材、色から広がる気

持ちや自然の話が出てきて、場の空気もほんのり色づいてきたような気がします。色の話でウォーミングアップしたところで、志帆さんからはこんな問い。

Q　なんで秋は絵を見たいと思うんだろう?

── 芸術の秋!

とみんなが口々に答えます。

Q　どうして秋なのかな?

── 涼しく描けるから。

Q　なんで春じゃなくて秋なんだろうね?

── 秋はいろんな昆虫とか花とかに会えて嬉しいから。

── 秋は時間が短くなってきて哀しい気分になるから。

── 春は花粉症があるから。

── 秋は読書の秋だから! 読書も絵でしょ。

── 山とかが赤くてきれい。紅葉とか見て描ける。

もの哀しさ、自然の色づき、動植物などが芸術と関わりがありそうです。

ピカソの絵を見るこどもたち。「エロい」「カクカクしてる」

いよいよ今日対話する絵のお披露目です。ピカソという名前以外は、みんな何も知りません。「早く見たい!」という気持ちをおさえてもらいながら、みんなが一番見やすい場所を探してセッティング。

ご対面の瞬間にもれた第一声が、「うわ、エロ!」でした。

みんながガヤガヤと口々に話しだします。

── 脳みそがないみたい。

── カクカクしてる感がある。

まずはじっくり絵を見ようということで、みんなでしばらく絵を見ます。そして、最初の質問です。

Q　この絵を見てみんなが一緒に考えてみたいことを考えましょう。まずは何か感想はありますか?

── 目が左右で違う色の人がいる。

── 顔の色が違う。

── カクカクしている。絵の全体がすべてカクカクしている。おっぱいも顔も鼻も。

── 何をしているところかわからない。

―― 全員すっぽんぽん。

―― マスクのような顔。

―― エロイ。ハダカがエロイんじゃなくて、右のおっさんが見てるようなのがエロイ。絵のなかに男のような人と女のような人がいるのがエロイ。

―― 全員女に見える。ハダカになってる恥ずかしさは感じない。

―― 服を着てないから、貧しそうな人。

―― あげている手が、あるはずの場所じゃないところにあって、この人の手かどうかがわからない。

―― いろんなところがボヤっとしてる。

―― 背景の水色が何なのかわからない。

―― 水色は氷だと思う。

―― 貧しいと言いつつ、これはダイヤなのかも。

―― 布かと思った。身体もカクカクしてて、背景もカクカクしてるから、柔らかいものかもしれない。

―― 処刑されそう。

―― 男女の区別がつきにくい。着替える前みたいでみんな同じ形。

―― 服を着る前で眠そうな顔してるから、眠くて変な顔になってる。起きたての朝？

―― そもそも男も女も関係なく描いている。

みんなが次々と手をあげて、我先にと感じたことを話します。どの話もピカソの絵を巡って取り上げられるテーマ（キュビスム、ヌード／裸体、マスク、主体／客体など）に触れる重要なポイントばかり。

話はまだまだ続きます。

―― まんなかの人だけラインが白で描かれていて不思議だな。

―― 全体がごつごつ固そうで居心地の悪そうな世界だな。

―― 手が途切れていて何をしようとしているかわからない。顔も黒いから障害がある。

―― 裸で貧しそうだから、ガンとか病気になっていて、人にうつらないよう谷底に落とされている。

―― 貧しい人がダイヤモンドを取りに来ている。

―― ハロウィンのヌードパーティ。

―― 6人いるように見える。手だけ見えてるもう一人がいる。

貧しくて暗そうに見える人と、楽しそうな場面に見える人。全員女に見える人と、男が混じっているように見える人。背景も柔らかい布という人もいれば、氷やダイヤモンドだという人もいる。死刑囚、パーティしてる人、泥棒など、人によっていろんな見方があることがよくわかります。

なんでこんな絵が描かれたの？
なんで裸？ なんでこんな色？

次に、これから考えたい問いをみんなで出し合います。

・「この絵は何を表しているのか？」
・「描かれている人数は何人なのか？」
・「描いた人はどんな気持ちで描いたのか？」
・「何を描きたかったのか。何を残して何を伝えたかったのか？」
・「何でこんなに色とりどりなのか？」
・「描いた人は暗い性格だったから、暗い生活を送っていて、だから暗い絵を描いたのか？」
・「なぜこの絵を見て変な絵だと思うのか？」
・「なんで裸なんだろう？」

たくさん問いが出たところで、このなかから話し合う問いを選びます。多数決かあみだくじかを多数決で決めた結果、多数決です。上位二つの問いを合わせ、今日の問いはこれに決まりました。

Q 「描いた人は何を描きたかったんだろう？ なんで裸？ なんでこんな色？ なんで暗い絵？」

前回のマチスの絵のときは、具体的な絵にまつわることよりも、表現や感性の問題に話は広がっていきましたが、マチスの切り絵の造形のような偶然に任せた要素がほとんど感じられず、ピカソの「意図」が満ちているこの絵では、こどもたちはその本意を知ろうと考えます。こどもたちの本質をつかむ感覚の鋭さは脱帽ものです。

―― お風呂上がりだから裸。

Q お風呂上がりで何が描きたかったの？

―― お風呂上がりで裸で遊んでいるイメージを描きたかった。タオルみたいなものを持ってるようにも見える。水っぽいから水色を使ってる。

—— 裸でいることを恥ずかしいと思わない村を見つけて、その人たちの姿を描きたかった。だから恥ずかしそうに見えない。

—— 家族だから。

—— どこかの裸の民族だから。

—— みんな裸だから恥ずかしくない。

—— 描いた人が女の裸が好きで、きれいだと思っているから。

—— 恥ずかしそうな顔じゃないし、逆に裸を見せようとしているから。

—— ポーズをとって堂々としている感じ。顔が黒っぽい人は奥にいる感じがして、堂々としている感じと、そうじゃない感じの違いを出しているように見える。

Q　絵のどこを見て恥ずかしそうに見える？

—— 恥ずかしいと目を合わせられないけど、この人たちは身体が開いている。

—— 堂々としているから。隠してない。

—— 描いている人を見てる。

—— 絵のなかの人がお互いに対話してて、「恥ずかしくない？」って横の人に聞いている。

Q　この絵のなかで「恥ずかしさ」って何だろう？

—— ポーズを取っているか取ってないか。

そのとき、こどもからこんな問いが出てきました。

—— 絵を見る人が恥ずかしいのか、絵のなかの人が恥ずかしいと思っているのかどっち？

当然、絵に描かれたものについて話しているつもりの大人は、ちょっと虚を突かれた感じで驚きます。絵を見ている側も絵画とその経験の一部だということを、こどもはなんて当たり前に指摘してくるんでしょう。観者も巻き込んだ絵画における見る／見られる関係は、美術における長年にわたるテーマでもあります。

—— 絵のなかの人がちょっと怒っている感じ。「何で描くんだ！」って。

—— 右の変な顔（仮面をかぶっている）人がリーダー。

Q　これは仮面を描いたのかな？

—— 化粧！

―― 狩りをする人。前にあるのは肉の塊。汚れたから着替えてる。

―― 仮面じゃなくて、包帯みたいなのを見えたままに描いた。

―― 描いた人が恥ずかしいという感情を読み取って、あえて顔をわからないように描いてあげた。

―― 描いた人が変顔が好き。目がバラバラだったり、顔が黒かったり、身体がカクカクしてたり。

―― パッと見てわからない、意味不明なように描くのが好きだった。

―― 変顔を描こうと思ったんじゃなくて、見たままで、描いた人にはそう見えていた。

話はまだまだ尽きそうにないところで残念ながら時間切れ。「時間がきたので、バッサリ終わります！」と終わろうとした瞬間、「タイトル教えて！」という声が挙がりました。

絵の知識はなくても、こどもには本質を見通す力がある

そこであらかじめ準備しておいた、絵のタイトルや、ピカソが参考にした絵や、キュビスムについての知識を添えたお土産カードをみんなに配ります。お土産カードの内容とは違いますが、レポートを読んでくださっているみなさんにもちょっとした解説を。

今回準備したピカソの「アヴィニョンの娘たち」（1907）は西洋絵画の伝統を否定し、複数の視点を絵のなかに導入したキュビスムの原点にもなった作品です。ピカソには「青の時代」「ばら色の時代」など、現実の生活や精神状態によって色調が変化する時期がありましたが、この作品では赤の時代の明るい雰囲気を受け継ぎつつも、無表情な人物や無機的な空間によって、暗さというか人間の豊かな感情をたたえた世界とは違った、幾何学によって構成された異次元の空間が描かれています。

描かれている題材も、元々のタイトルが「アヴィニョンの売春宿」というように、売春宿で働く5人の女性のヌードを描いたものです。でも、彼女たちは従来の絵画のなかで描かれてきたように、観者に対して媚びた姿態や表情を見せるのではなく、正面をみつめ、身体を開き、こちらを威嚇しているようにも見えます。いろいろな角度から見たような顔は、アフリカの仮面をもとに描いているとも言われています。様々な要素が入り混じり、想像力にあふれた絵画の冒険へと乗りだしたこの作品は、現代美術のはじまりとも言われています。こうして見ただけでも、今回の対話で挙がった問いや話の数々が、いかにこの絵画の要点をついたものかがよくわかります。

知識はなくても絵を見るだけでもかなりの本質に迫れることはわかりましたが、知識があるとまた違った見方ができたり、新たな問いへと世界が広がることがあります。今回の対話をきっかけにもっとこの絵を知りたいと思ったり、他の絵にも興味をもったり、アートがぐっと身近になると嬉しいな♪

それにしても毎回感じることですが、こどもたちはいつも予想以上の想像力と洞察力に満ちた対話を繰り広げ、大人は目を開かれるばかり。もちろんこどもたちはずっと集中しているわけでもなく、最後の方は対話組と押入れ組とにわかれていました。でも、押入れで遊んでいるこどもたちも、隙間からこちらの様子をこっそりと伺っているのがわかります。前のレポートでも書きましたが、この自由さにはじめは戸惑われる方も多いですが、だからこそ犬てつにやって来て、様子をみながら対話に参加できる子たちもいて、とりあえずこれが犬てつスタイルかなと思っています。

1時間以上も一枚の絵を見て語るなんて普段はなかなかできない、とても楽しく刺激的な体験でした。ご参加いただいたみなさま、ありがとうございました。

絵を見る人が恥ずかしいのか、

絵のなかの人が恥ずかしいと思っているのか

どっち？

6 今回のテーマ　いい子って何!?

進行役:安本志帆さん　2018.12.8.saturday

今年度の犬てつ最終回です。犬てつに参加しているこどもたちは小学3年生が多いので、学校にも慣れてきて新鮮味も薄れてきたこの時期、宿題が増えたり、学校が面倒だったり、先生に怒られたり、親にもいい子にして勉強しなさい!なんて言われちゃったり。「勉強のできる子がいい子なの?」「学校でうまくやれないといい子じゃないの?」なんて問いが頭に浮かびがち。周りの親たちも日常でこどもからそういう質問をされることがあるということで、学期末も近い今年度最後の締めくくりとして、「いい子って何!?」のテーマを選んでみました。

禁止するのは簡単。だけど「気をつけて暴れて」とアナウンス

初参加の方がいたので、まずはコミュニティボールのルール説明から。こどもたちが思いつくことを挙げていきます。

—— ボールをもっている人がお話しする。

—— ボールをもっていない人は話をよく「聴く」。

いつもの大事な三つ目が出てこないので、志帆さんが大人に聞いたところ、「話している人の悪口を言わない」と、いつもほとんど発言せずに大人の傍にいる子が代わりに答えてくれました。発言をしなくても聴き、参加していることがよくわかる一コマです。

次に呼んでほしい名前と、「冬に食べたい食べ物は何?」の問いに順々に答えていきます。みかん、鍋、おでん、アイスクリーム、きりたんぽ、キムチ鍋、出汁のきいたお雑煮、おでんの糸こんにゃくと大根など。

遅れてきた子たちも途中で話の輪に加わって、わいわいがやがや場がほぐれてきます。顔見知りのこどもたちは、どんどん楽しくなって中央に座布団を積み上げたり、ホワイトボードの裏に絵を描いて遊びはじめ、いつにも増してドタバタなスタートです。

そんななか、ほこりアレルギーのこどもが、端っこで鼻をかみはじめると、志帆さんは、「ほこりで目がかゆくなったり咳がでる子がいるので、そこのところは気をつけて暴れてください(笑)」。禁止するのではなく、他の人のことを考えて行動するように促します。

裏返しにできるものはどれ？
裏と表はちょっと違う？

次いで、事前にホワイトボードに書いてあった9つの言葉をもとに、こんな問いが出されます。

Q　この中で裏返しにできるものはどれ？

①さかな　②コンピュータ　③くつした
④はこ　⑤バッグ　⑥本　⑦じどうしゃ
⑧がっこう　⑨ちきゅう

こどもたちはホワイトボードをじーっと眺めてから、次々と話しだします。

―― 地球は裏も表もないと思います。

―― 地球の裏には人も動物もいるから裏にはできない。

―― 自動車にも裏表はない。窓も同じ形で、大きさも同じだから。

Q　大きさが同じだと裏にできないの？

―― 形が同じだから、どっちが表か裏かわからない。

―― 高級車には長いのと平べったくて窓がないのがあるから、違いはめちゃくちゃある。

―― 地球は裏返すとバキッと割れる。

―― 地球の裏側にマグマがあって、それを裏返しにするとマグマが出て、他の惑星にあたる。

―― 地球は裏返しになると中が空洞になってるかもしれないし、空洞だと太陽の光もあたらなくて真っ暗で、一日がずっと夜になって凍え死んじゃうから、裏側にはなれない。

―― 車は裏返しにできないと言っていたけど、自動車は改造できるから裏返しにできる。

―― 本は破れなかったらできるけど、裏返しにすると破れるからできない。

―― 魚は包丁で切ると半分にできるけど、裏返しにすると内臓とかが出てくる。

―― 魚は外側と中身は全く違う。見てくれから違うと思う。

―― 靴下は魚と違って裏返しても同じ。ただ、靴下は裏返すとぼやっとするけど。

―― コンピュータは、外は裏返しにできないけど、中にはいろんな機能があって、それが狂うと裏返しになった状態。

―― 箱は裏も表もわからない。どっちから見ても同じ大きさだから。

―― 学校は裏返しにできない。教室や

机や職員室があるからできない。大事なものがあるし外には自然があるから。学校は古い建物だから工事でできる。でも、外は地球丸ごとだから半分にできない。

―― ロケットに乗って空中に浮いて反対向けば、みんな裏返しみたいに見える。

―― 夏に裏返すと暑くなり、冬に裏返すと寒くなる。

―― 学校の中身が外に出たら裏返しになるなら、みんなで机と椅子を持って外へ出すと裏返しになる。

―― コンピュータは機械でできていて、壊れたら使えないから裏返しにできない。壊れたときには裏返しにできる。

―― バッグは同じ色だから、裏返すとわかんなくなるから裏返せない。

地球の例が気になるこどもが多い様子です。中と外を入れ替えたり、半分に割ったりといった物理的な方法のほかに、視点を外にもってきて宇宙に行けば地球は裏返るといった視点の転換を提案する子、裏の人がかわいそうだから裏返さないと気持ちで返す子、同じものには裏表はないと主張する子など、様々な意見が飛び交います。

今日の志帆さんは矢継ぎ早の質問攻めスタイル。次々と問いが繰り出されます。

Q　同じ色や形だと、裏か表かわからないという意見がでてるね。違いがわかるということが、裏と表があるのに必要なことかな？

―― 魚はどっちから見ても同じ場合は、こっちが表、こっちが裏と決めたらわかる。決めちゃえば何でもいけるかも。

―― 囲っているところを壊したら裏。

―― バッグは靴下と同じ。裏返すと色は薄くなる。

―― 本は裏返しにできる。表は絵が描いてあって裏にはないから。

Q　となると、やっぱり裏と表はちょっと違うってことが重要かな？　みんなには裏と表がある？

裏表を例にしながら、問いは少しずつ「いい子」のテーマにシフトしてます。

―― 外側の表情は優しいけど、心のなかはこわい人がいる。

―― 服は裏も表もある、裏には縫い目がついてる。

―― カチューシャは裏返しできるよ！

―― クッキーや固いものは無理。グミとか柔らかいのは裏にできる。

―― 家だとダラーッとしてたけど、外だとすごく頑張ってた。

―― 学校はお父さんとお母さんのお金で行っているからキリッとしなくちゃだめ。

―― 学校でダラーッとしてたら怒られる。

―― 車と同じで改造して、（身体を）切り開けば裏表が自分にもできる。

―― 骨を分解すればできる。

―― 表はこっち（顔がある方）で、裏はこっち(背中)。

―― 表は明るくて裏は影、暗い。

―― 後ろ向きでこっち（背中）から太陽あたれば、こっちが明るい。

Q　表ってなんですか？

―― 表は目立つ方??

話はまだまだ尽きませんが、裏と表のテーマを話すなかで、すでに、同じこと、違うこと、明るさ、目立つ方といった、今日のテーマ「いい子」にもつながりそうないくつかのポイントが挙がってきました。

いい子って何？
どんなイメージを持っている？

そこで、「いい子ってどんな子？」のテーマに移ります。移る前に志帆さんから、「前半はこどもの話が上手すぎて大人がほとんど話せなかったので、後半は大人も話しやすくなるようにしましょう」という言葉がけ。

Q　いい子ってどんな子？

―― 冷静で物静か。

―― 誰かをいじめている意地悪な子に、声をかけてダメだよと言う子がいい子。

―― 誰かに優しかったり、いいことをする子。

Q　優しいことってどんなこと？

―― 席をゆずるのが優しい。

Q　いいことってどんなこと？

―― 役に立つこと、お手伝いすること。

Q　それは誰の役に立つの？　ママとか？

―― ママとかじゃなくて、周りの人たち。

—— 責任感の持てる人。人のやったことを自分のことにする人……、いや、ちがう。みんなの代表になったり、みんなの役に立つ人。

Q　人の役に立つって何？

—— 困っている人を助ける。

Q　困っているってどんな人？

—— 席が空いてない人とか。

Q　助けるってどういうこと？

—— ……わからん。

—— いい子はおもちゃを片付ける子。

Q　なんで片づけるといい子？

—— お部屋がきれいになるから。

Q　なんできれいになるといいの？

—— 気持ちいい。

Q　気持ちがいいとなんでいいの？

—— 穏やかになる。

Q　穏やかってどういうの？ 誰が穏やか？何が穏やか？

—— ○○ちゃん（自分の名前）。

穏やかになるというのは○○ちゃんの心が穏やかになるってことね、と志帆さんが言葉を添えて確認します。こどもたちの言葉を一つずつその意味を確かめながら質問を繰り返し、外に現れた言葉の根っこの部分も探りながら話がすすみます。

いい子、悪い子、普通の子。いい子は悪いことをしないのか？

すると、さっきから隣同士で話していたこどもが、自分たちで手をあげるのが気が引けるのか、かわりに隣の大人に手をあげさせて、こう発言します。

—— いい子はいない。

Q　素敵な意見ね。何でいないの？

—— 悪い子もいないし、いい子もいない。一人ひとり違うから。

するとその子がまだ発言し終わらない間に、「悪い子はいるよ！」と割って入ったこどもがいました。「○○が悪い子だから」と、その子は自分の名前を挙げています。「だってママが言うことききかないとき……」

と言いたいことが溢れでます。志帆さんはその子に「後でゆっくり聞かせて」と待ってもらって、先に話していた子に次の問いを投げかけました。

Q　なんで一人ひとり違うと、いい子と悪い子がいないの？　一人ひとり違っても、いい子と悪い子がいるんじゃない？

その子が返事に困っていると、話していたもう一人のこどもが代わりに答えます。

—— いい子もたまには悪いこともするから。

志帆さんは今度は「悪い子はいるよ！」と割って入ったこどもに問いを投げます。

Q　どうして○○ちゃんは悪い子なんですか？

—— 悪い子はね、点数とかね……普通の人は……時によって違うんだけど、悪いときといいときがあって、悪い子のときはテストのときに0点とか悪い点数を取る子。

どうやらテストの点数が悪いと「悪い子」だと思いこんでいたのが、さっきの話を聞いて、自分は「悪い子」だけではないと気がつきはじめたらしく、ちょっと自分でも考えがぶれてきた様子。人の話を聞いて自分の意見も変わっていくというのは、てつがく対話の醍醐味です。

Q　テストの点数が悪い子が悪い子なの？

—— 違う！　……ママに言われたことをやらないとき。

Q　なんでママが言ったことをやらなかったら悪い子なの？

—— 「普通」の子は……、「いい子」はね、自分からやるの。

Q　いい子は自分からやるの？ それ本当？

大人からは苦笑が漏れます。別のこどもからも「じゃあ、私も悪い子だ」という声も。また別の子は「お姉ちゃんは100点とる。ママに言われたことをするし、自分でやって100点とる！」と話しはじめます。

Q　100点とるのはいいこと？

—— ママに言われなくても自分からやって100点とるのがいいこと……。

大人の言いつけを守るのがいい子？
こどもの未来はだれのもの？

志帆さんが今度は大人に話を振ります。

Q　大人の意見はどうですか？

—— 親である自分の言うことを聞いてくれる子がいい子だと言ってるように思う。

—— 自分たち大人の言いつけを守っているときは「いい子」だとつい思ってしまう。

それを聞いたこどもが本当に不思議そうに、こうつぶやきます。

—— それってどういうこと？

—— 言いつけを守ってるのがいい子なの？

—— じゃあ、やらなかったら悪い子なの？ 怒られたら悪い子なの？

そして、また次から次へといい子の例が挙がります。

—— 勉強できなくても、みんなをまとめられる子。

—— リーダー感がある。

—— 普通のやることを必ずやる子。

Q　普通って何？

—— たとえば、宿題やることとか。

Q　宿題やることは普通なの？ 毎日あるから？ 毎日あっても、なんで宿題やることが普通なの？

—— やらないと怒られるから。

Q　怒られるからやるの？

—— 宿題やるといい子になる。頭良くなるから。

Q　宿題やらないと、頭良くならないの？

—— 勉強しなかったら頭が良くならないから、テストの点もとれない。

—— 宿題は学校のおさらいができるから、頭良くなっていい子になる。

—— 先生から出された「題」だからやらなくてはいけない。わからないことがわかる。

Q　何で先生から出された「題」はやらないといけないの？

—— 先生は頭のいい子になってほしいから。

Q　先生はなんでそうなってほしいの？

—— 将来、仕事ができたりするし、将来、自由に仕事とか夢をちゃんとできるようにしたいから。

Q　頭がいい子ってどんな子？

—— テストの点数が良かったり、先生の言うことをよく聞いたりする子。

志帆さんはここでまた話を整理してこう言います。

—— どうやらテストの点数がいいことと、

先生の言うことをよく聞くことが「頭がいい子」にとって重要ポイントみたいだね。

それにはこんな反論も。

—— でもテストがだめでも、理科とかでどうやるか考えたり、実験がすごくよくできる子とかも頭がいい子だと思う。

すると、さっき「自分は悪い子」と言ったこどもが、自分からこんな問いを出してきました。

—— なんで先生の言うことをやるの？ 未来は自分にかかっているということなのに、どうして先生の言うことを聞かないといけないの？

その子のなかで、今まで押さえつけられていた問いが、蓋をあけて飛びだしてきた瞬間でした。志帆さんはその言葉を力強く復唱して、しっかりと受け止めました。そして、その子に次の問いを投げかけます。

Q　じゃあ、なんでお母さんの言うことは聞くの？

—— 先生はただ教える人だけど、ママは大事に……、生まれてくることは奇跡とも言われているから！ だから……。

Q　先生は大事に思ってくれてないの？

—— 先生も思っていることは思ってくれているけど……、ママだと痛い思いをして産んでくれたから。だって鼻からスイカ！

Q　産んでくれたから言うこと聞くの？ なんで未来は自分にかかっているのに先生の言うことを聞くの？

この問いかけに、さっきとはまた別のこどもが「嫌な会社や嫌な学校に入っちゃう将来は嫌だから」と答えます。

Q　それって本当に嫌なことなのかな？

—— お母さんにそう言われるだけ。

Q　自分ではどう思う？

—— それが本当だと嫌だなと思う。

—— 悪い子は勉強しなくて、勉強したらいい子になれる。悪い子は少しヤンキー感がある。

Q　ヤンキー感ってどんなの？

—— コンビニの前で座っている人。

Q　コンビニの前でオラーッてしてる人ってなぜ悪いの？

—— 人の財布を奪って逃げたりするから。

Q　オラーッてする人って財布奪うの？

ヤンキー感をもっと聞かせて。

―― コンビニの前に座ってタバコ吸ったり、本を盗んだりする。

―― 万引きとか、鏡割ったりして、お金を全部もらって帰ってお金持ちになろうとする。

Q それってヤンキーがやったの？ どうして知っているの？

―― そんな気がする。

―― ヤンキーは座り方が悪い。ちょっとぶつかったら「なんじゃこらー」とか口が悪い。

―― 金属バットで頭殴る。

Q 見たことあるの？

―― 一度見た。ドラマで見た。

テレビや妄想や大人が植えつけたようなヤンキー感が、こどもたちの間でさく裂します。ヤンキーの絵を描いて披露する子もでてきます。

ヤンキーってどんな子？ いいことするヤンキーはいない？

そんななか、こんな意見を出すこどもも。

―― でも、ヤンキーだったら悪いの？ いいことするかもしれない。こどものときは、ヤンキーになろうと思っていない。

Q ヤンキーだっていいことするかもしれないよって話が出たけど、どう思う？

―― 絶対そう思わない。

―― あくまで暴力が前程。

―― 暴力で人助けする。

Q 大人の意見を聞いてみよう。

―― ヤンキーは先生や親に反抗している。いい子は親、先生の言うことをのみこんでいる人。でも、それって命令を聞いていることだよねって、隣のこどもと話していた。

―― ヤンキーが反抗して言っていることは、いい子と思われている子もやってみたいことだけど、羨ましいところもあるから目立ってて嫌だとか悪い子扱いする。でも、自分も言ってみたい思いがあるから、できない自分に苛立って「悪い」という言葉にした。

―― 学校で「今日はこの授業をします」

と言われたときに、ヤンキーは「つまんない」「やりたくない」と言える。いい子は、ルールを守りたい自分とやりたいことの欲望のなかで葛藤があるんじゃないか。

そんな大人の意見を聞いたこどもからは、こんな質問が。

—— じゃあ、なんでヤンキー的なやつになりたいと思うの? いいことあんまりないのに。

Q　ヤンキーにいい人はいないの?

—— いい人はいる……、やっぱりいない。

—— みんな暴力ふるう。

—— やばい人。

—— ヤンキーの人だって悪口言うけど暴力ふるわない人もいる。悪口が悪い子だったら、暴力ふるわなくても悪い子。

—— 命は奪わないんだから……、そこまでひどいことしない、かも。

—— お母さんに頼まれたことをきちんとするのがいい子。

—— いい子はお母さんの言うことを聞いて、ヤンキーはお母さんの言うことを聞かずにゲームとかする子。

Q　志帆さんのこどもはゲームばっかりしてるんだけど、悪い子?

—— 悪い子!

—— ゲームにも頭を使うゲームがある。

—— 頭を使うゲームでも目が悪くなる。

Q　目が悪くなったら悪い子?

—— 目が悪くなったら自分が悪くなる。

—— 目が悪くなったら、ゲームやらなかったらよかったって自分で後悔する。

—— ヤンキーは音を出したり、騒いだり人に迷惑をかける人。

と、さっきの問いをまだ考え続けて発言するこどももいます。はい!はい!と手をあげる子たちがまだいるなか、終わりの時間となりました。志帆さんからは最後に、続きは別の場所や家でお母さん、お父さん、こどもと話したりしましょうという話があって今日はおしまいです。

心の奥底にこびりつく、大人からの「いい子」の呪い

今回の対話で思ったのは、小学3年生くらいになってくると、「いい子」という言葉は、こどもたちみんなの共通の関心事

かなという気がしていたのですが、普段「いい子／悪い子」という言葉を浴びている子とそうでない子で、この言葉に対する思い入れがかなり違いそうということでした。「いい子／悪い子」が日常の会話でよく出てきていそうなこどもからは、親や先生から与えられた「いい子」「悪い子」の例がポンポンと口から出てくるのに対し、そうでないこどもたちは頭を使って一から考えているので、発言できるまでに時間がかかったり、「いい子」「悪い子」の例に対して何でそうなのかな?と頭をひねって考えようとしている様子がうかがえました。

志帆さんが以前、こどもは「呪い」にかかっているということを言っていたことがあるのですが、「いい子／悪い子」もその一つかな?と思ったりもします。呪いにかかったこどもたちは、それに従わないと将来に何か悪いことが起こってしまうような気がして、それがどこか頭の底にこびりついて離れない。何か大きな「未来の真実」のようで、何かわからないオソロシイもの。自分で考えるにも手ごわすぎて、「実体のない言葉」のまま受け取って、他の子にその呪いを投げつけても、「正しい」ものだと思ってしまう。心の奥底にこびりついているものだから、「呪い」は瞬発的に発せられる。話の途中で、がさごそ自分の世界で遊んでいたこどもに対して、「○○くんは悪い子!　だって、音を立てたり、人の邪魔をしているから」という言葉が投げつけられる場面もありました。

でも、そうしたなかでも一緒に話し、考え、聴くことをとおして気持ちは変化する。こどもたちが頭をひねってたぐりよせた自分の言葉を発する瞬間は、いつも心にずしんと響きます。自分に自信がなかったこどもから出てきた「未来は自分にかかっている」という言葉が、今日の私の宝物になりました。ご参加いただいたみなさま、ありがとうございました。

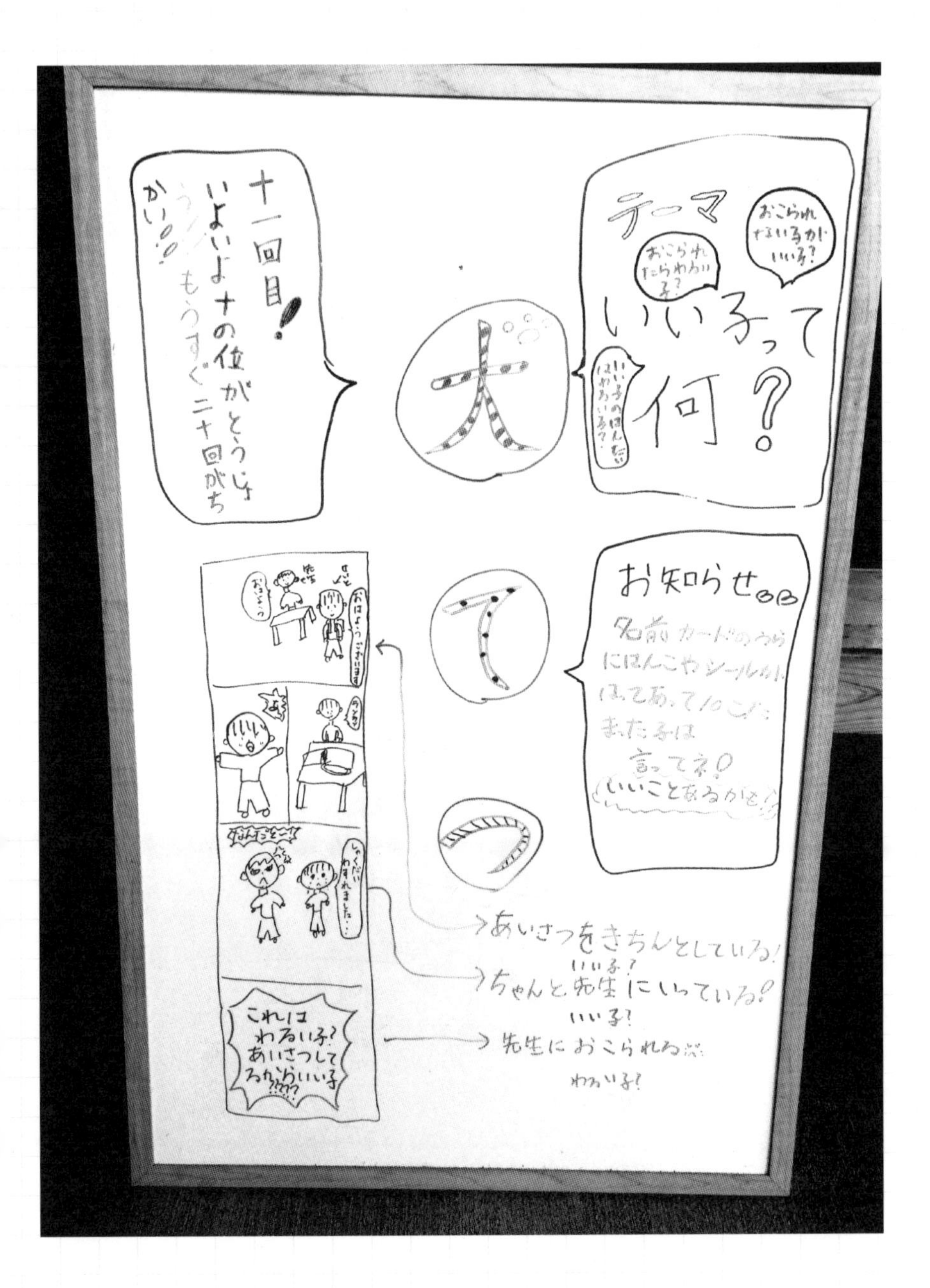
十一回目！いよいよ十の位がとうじょう もうすぐ二十回かちかい!!
犬
て
つ
テーマ
いい子って何？
おこられたらわるい子？
お知らせ
名前カードのうらにはんこやシールがはってあって10こたまった子は言ってネ！
いいことあるかも！
おはよう
おはようございます
なんてこと〜！
しゅくだいわすれました…
これはわるい子？あいさつしてるからいい子？？？？
あいさつをきちんとしている！
いい子？
ちゃんと先生にいっている！
いい子？
先生におこられる…
わるい子！

犬山男女共同参画市民会議＆犬てつコラボ企画/てつがく対話で男女共同参画

7 今回のテーマ　ずるい！？

進行役：松川えりさん、安本志帆さん　2019.2.2.saturday

犬てつ番外編です。犬山男女共同参画市民会議さんとの共催で、てつがく対話で男女共同参画について話し合う場を設けることになりました。進行役には犬てつでおなじみ安本志帆さんと、毎日小学生新聞で「てつがくカフェ」を連載されている松川えりさんをお迎えしました。

市の広報で興味をもってくださった方や、高校生など、いつもの犬てつとはまた一味違う、5歳から60歳代までの幅広い層の参加者です。キャンセル待ちも出ましたが、できるだけ多くの方々にご参加いただこうと、定員を上回る総勢40人近くの大盛況の会となりました。

てつがく対話の面白さ。みんなで謎解きすること

進行役のえりさん、志帆さんとの事前の打ち合わせでは、男女共同参画ということで「平等」「性差」「らしさ」などの案を考えましたが、こどもと大人で同じテーマで対話ができるようにと、えりさんから出てきたこどもにもとっつきやすい「ずるい」のテーマに決定です。

全体の進行はえりさん。てつがく対話がはじめての参加者もたくさんいるので、てつがく対話についての質問からスタートします。

Q　この、もじゃもじゃボール（コミュニティーボール）の使い方を知っている人？使い方を教えてくれる人？

という、えりさんからの問いかけに、犬てつリピーターのこどもたちを中心に、5、6人から手があがります。

—— ボールをもっている人が話す。

—— ボールをもっている人の話を聴く。

—— 話したい人は手をあげて、ボールをもらってから話す。

Q　てつがく対話って何ですか？

—— 自分の意見を言ったり、相手の意見を聴いたりして話し合う。

Q　何のためにそれをするのかな？

―― なんでだろうと思うことを、いつもは一人で謎解きするのを、みんなで謎解きをする。

それを聞いたえりさんは、「謎解きって説明の仕方は今まで知らなかった！ 大発見!!」と大喜び。そして、こう続けます。

―― こんな発見があるのがてつがく対話の面白さの一つです。途中でわからないことがあったり、こんなこと言っていいのかなと思うことも全部言ってもらえれば、みんなの謎解きのヒントになるかもしれません。進行役が聞きそびれてることがあっても、みんなで助け合ってください。

男と女のどっちがいい？
長所と短所から考える

まずは大人とこどもが一緒になって準備体操ならぬ準備おしゃべりからはじめます。「男女」と「ずるい」のテーマにつながるようにと、前もって打ち合わせて決めていたのはこんな問い。

Q 生まれ変わったら男か女かどっちになりたい？

―― ぼくは女になりたい！ 鶏のオスは卵を産めなくて早く殺されちゃうけど、卵を産めるメスは生きられる。

―― 学校で女子とケンカしたら、両方手をだしていても男子の方がいっぱい怒られる。これは差別じゃないか？

―― 男は昔から殺し合いとかするけど、女はこどもを産んだり、ご飯作ったり、家事をしたりするからいい。生まれ変わったら女になりたい。

―― 生まれ変わったら男になりたい。カンガルーは男と男でケンカしていて、私もケンカしたいから。

―― 男には急所があって、女とケンカすると必ず狙われる。女にもあるけど、そこを狙うと変態！って言われる。

―― 男になりたい。男の方が言いたいことを言えるから、自分の性格からして自分には男があってると思う。

―― 男になりたいけど、歳をとったら女になりたい。女の方が家で休めるけど、男は仕事に行かないといけないから。

―― 生まれ変わっても女になりたい。先生に怒られるとき、男子の方が強く怒られている。男子はケンカもいっぱいするし、毎日怒られてるから。

―― 小さいときは男になりたいと思ってた。外とか自由に行けるし、お父さんとお母さんが大事にしてくれるから。

―― 男になっても女になってもほとんど同じ。男はケンカから戦とかになるけど、女は家庭のこととか気にしながら家を守り続けるから、どっちになってもめっちゃ大変。男でも女でも働くことがあるから、どっちも大変。

そんなとき男の子からこんな問いが出されました。

Q　男性の長所ってどこですか？ 僕が思うのは便所が簡単なところだけ。

―― 男は力が強い。

―― 女も腕相撲とか超強いよ。

―― 怒ると女子が強い。

―― 口言葉が強い女子と、強くない女子がいる。

―― 女子の嫌なところは、相手の悪口とかいっぱい言う。男子の方が安全。

―― 男子はケンカに強くて、女子は言葉に強くて、男子は言葉もこわい。

―― 男の人は言葉遣いを気にしなくていい。女の人は言葉に気をつけないといけない。言葉遣いが悪いとヤンキー感がある。

―― 大人になると女の方が一人旅行とかに危険を感じたり、結婚するときに苗字を変えろという圧力を感じたり、差別されてると思うようになった。けど、その分わかることも多いから、生まれ変わっても男と女のどっちになってもいいと思う。

―― 女は男があまり泣かないと思ってるから、気をあまり使わずに暴力とかふるえるけど、男は女に気を使わないといけないと思ってるから暴力とかはふるえない。

―― 女同士は仲良くなると男子より友情が深まるけど、その子と仲が悪くなると独りになっちゃうから男子の方がいい。

男と女のいい点、悪い点、男女に関係ないところなどのいろんな視点がでてきたところで、準備おしゃべりは終了です。

場のざわめきはてつがく対話の旨味。コーヒーの苦みのように味わって

次は、大人とこどもの二つのグループにわかれて、それぞれが「ずるい」の共通テーマでてつがく対話を行います。今回は、中

学生や高校生の参加者もいるかもしれないということで、大人とこどものどちらのグループに入るかは年齢で区切るのではなく、自己申告制ですることに決めていました。

大人グループの進行役はえりさん、こどもグループの進行役は志帆さんです。大人グループでは、まずはえりさんからてつがく対話についてのいくつかの心構えのような説明があります。

・自分の経験から、自分の言葉で話してください。
・みなさんのなかに絶対面白い考えがあるはずなので、それを聞かせてもらいたい。
・これが正解というものはない。
・発言したあとに場がざわつくことがあるかもしれないけど、それはコーヒーやビールの苦みのようなもの。てつがく対話の美味しさなのでそれを楽しく味わってください。

そして、最初の質問です。

Q　「ずるい」ということについて思うことなどありますか？

―― ずるいには言う人と言われる人の両方がある。ずるいという状態には得をする人がいる。得するとは、正当な何かに対して与えられてないものがあって、それがずるいということ。

―― 自分がお菓子を一口で食べると、こどもにずるいと言われた経験がある。

―― ずるいと思った経験がない。今の生活を楽しんでいるから、ずるいと思う時間がもったいない。

―― 長女におつかいを頼むと次女がそれをずるいという。自分としては長女の方に嫌な仕事をさせているつもりだけど、次女にとってはそれが羨ましい行為。ずるいというのは受け取る側の感情に左右される。自分の欲しいものはずるいと感じる。

―― 列に並んでいる時にすっと割り込んでくる人をずるいと感じる。自分も我慢して並んでいるのに、そこにすっと入り込む人はずるい。

―― ずるいを通り越して、「ずる賢い」と感じる人をよく見かける。はじめはずるいと思っても違う見方をすると賢いのかなと思うことがよくある。

Q　ずるいのなかで、「賢い」と「得している」にはどういう関係にあるんだろう？

―― ずる賢いということを考えると、ふるさと納税を思いだす。税金をうまく使えて賢いんだけど、お金持ちが得をする仕組みでずるいと思う。賢く得をしてるんだけど、仕組み自体にずるいところがある。

そんなとき、参加者の男性から、「男女」の問題でもっと「ずるい」について考えてみたいという提案とともに、こんな問いがだされました。

Q　一般論として、男の人が女の人をずるいと思う人が多いと思うけど、女の人が男の人をずるいと思うときはどんなときだろう？

この問いに場がざわざわっとどよめきます。男の人が女の人をずるいと思っているのは一般論なの？

―― 女性であることで得をするような性質をうまく使う人は「ずるい」けど、たとえば結婚詐欺師のように、その仕組みを理解して考えた上で、うまくそれを使っている人は「ずる賢い」。単に得するだけだと「ずるい」んだけど、どうやったら得になるか考えてやっていると、ずるを賢く使っているので「ずる賢い」。

―― 男性が女性のことをずるいと思っているのと同じくらい、女性も男性のことをずるいと思っているのでは？

―― 男性が女性をずるいと思っていたなんて！というビックリ感があった。なにをずるいと思っているのか具体的に聞きたい。

ということで、先の問いを出した男性に、もう一度コミュニティボールがまわってきます。

男は女、女は男を お互いに「ずるい」と考えている？

―― 個人の気持ちでいうと、自分は今の男を楽しんでいて、次に生まれ変わるなら女を楽しみたいと思っているので、個人的にはずるいとは思っていない。でも、男女の自殺率を考えると男性の自殺率の方が圧倒的に多い。男性が家族を養うという義務を不当に背負っていて、それが女の方がずるいと思うことの一つの理由。

この話をうけて、それぞれの性に対してずるいと思う話が口々に挙がります。

―― こどものころから男の方がいいなと思っていた。働いている男性に対して、専業主婦などの女性は男性の影響を受けやすい。男性の方が安定感があっていいと思っていた。でも、実際に母になった体験からは、女の不安定感ゆえにできることもあると思えるようになった。

―― 服を買うときに圧倒的に女性服のフロアが大きいし、色のバリエーションも女性服の方が多いので、女性は優位だなと。羨ましい。男性の方は社会的にシステムが優位に作られていると感じる。

―― 男の方が年をとったときにいい感じに年を重ねて、円熟していくイメージがある。女性は年をとると下り坂になるイメージがある。

―― 女性はホルモンの関係もあって、そこに翻弄されて不安定感が一生を通じてある。俳優とかを見ても年取った男の方がいい感じがあって羨ましいと思ったりもするけど、中年以降になって、不安定な女も不安定であるがゆえにいろいろ試せて面白いかもと思うようになった。

―― テレビや芸能界だといい感じに年を重ねた俳優の男性が目につくかもしれないけど、実人生ではシニア以降の男性の社会参加はとても少なくて、女性の方がすごく元気。女性は不安定であるがゆえにたくましくなっていくんじゃないか。

―― 性別によってどちらかが得する社会の仕組みがある。男性が収入を得るというシステムがあって、そこに女性は入りにくいけど、男性は退職するとシステムとの接点が切れて、地域との接点も少ないから、シニアになるとつながりが少なくなる。

―― 自分の家もそうした男女の役割分担になっているけど、理想は男と女も同じく働いたり、社会参加したりできる社会がいいけど、どうやったらそうなるかわからない。

―― うちの夫も私を養わないといけないと考えていて、養わないといけなくて忙しいから家事ができないという。でも、私も仕事をしているから、仕事を減らして家事をする時間を多くしてもらえると助かる。一方で、夫の世話を妻である私がしないといけないと考えている自分もいる。両方バカだなと思う。

「いいな」という気持ちはいつ「ずるい」に変化する?

「ずるい」の話をするなかで、「羨ましい」という言葉がちらほら耳につきます。ここでえりさんから、また少し視点を変えるような問いが出されます。

Q　男はこんなところがいいな、女はこんなところがいいなと、お互いに思うところがある。この「いいな」という気持ちが、「ずるい」

に変化する瞬間はいつだろう?「羨ましい」と「ずるい」はどう違うんだろう?

—— 相手が自分が思いもつかなかったことを考えついたりやったりするときにずるいと思う瞬間と、自分の力ではどうしようもないことに怒りがわいたときに、「ずるい」「理不尽だ」と思うような二パターンがある。

—— 何かわからないけど自分が守らないといけないと思うモヤモヤした気持ちを、ずるいという言葉で表している。受け取る側によってずるいの意味は違うんだけど、こうしたモヤモヤした気持ちがずるいという共通の言葉で表されている。

—— 学校では男女平等ということでやってきたのに、いざ就職になると女はつきたい職につけなかったり、お茶汲みをさせられたり、社会システムに男女の差別は色濃くある。

—— はじめて就職した会社では、女子社員だけが始業前に朝の掃除をしないといけなくて、男子トイレの掃除も会社のルールとしてさせられていた。男はずるいと思っていた。

—— ずるいというのは近い人に対してしか思わない。手の届かないものにはずるいとはあまり思わない。

—— 身体と心の性別が違うトランスジェンダーだと、どちらかの性にずるいとは感じないんじゃないか。

—— 男にできることでも、男と女の違いもあって、女の方が細かいところに気がつくことがある。こどもの様子がおかしいことに奥さんは気づくけど、僕は気がつかない。トイレットペーパーを買うときに、安いか高いかはほとんど気にしないけど、奥さんは気にする。お茶出しにしても、女の人の方が自然に気配りができるような気がする。でも、女の人の知恵だったものがルール化されることでおかしなことになっている。

—— 自分が家事をやっているときに旦那さんがテレビを観ていたりするとずるいと思うけど、自分がだらだらしてるときに旦那さんが家事をしていても何も思わない自分がずるいと思う。でも、家事をやってくれた後にやり残しをみつけるとイライラしちゃう。やるべき仕事の内容をルーティーン化して示せるとうまくいくことがあるけど、それはうちの旦那さんにあったやり方で、「性別」というよりは「個性」の違いかも。

—— 夫がいないときに家事を済ませていると、夫がそういう家事自体を知らないことがあるので、最近はわざと夫の目の前で家事をすることにしている。それまでは夫がずるいと思っていたけど、目の前で家事をするようになって、夫から「そういうことをやってくれてるんだ、ありがとう」という言葉を聞くようになり、ずるいと思わなくなった。

―― 日本は「内助の功」を美徳とする文化があるので、支えていることをあえて見せないところもある。それを何も感じずに受け入れている人もいるけど、この抗えない社会の構造に抑え込まれている人もいるから、声をあげていけるといい。

―― 認めてもらえてないことで、ずるいという気持ちが出てくる。

―― 家事をやるとすごいでしょ、僕もやってるじゃんと思っているけど、奥さんがやってることに「ありがとう」と言ってないことに気がついた。

―― 「内助の功」に憧れてるところもあるけど、夫は大事だけど、夫の仕事は自分の仕事よりも大事ではない。何に重きを置くかによって違ってくる。

―― 旦那は家事をまったくしないけど、ずるいとは思わない。前にベンチャー企業で働いていて、大変な仕事の環境だった。男性は女性よりもさらに何かを背負っているようだったので、家事をしなくても会社で頑張ってくれてるだけで十分だと思う。

―― 「羨ましい」はどうしても手が届かないことに対して思う。「ずるい」というのはどうにか対処すると何とかなりそうなものに対して思う。

―― 羨ましい＝隣の芝生は青く見える。でも、内情は火の車かもしれない。わからないから羨ましいと思う。ずるいは視点の取り方。こどものときに、毎日遊んでいた広場をボーイスカウトが土日に占有してしまうときにずるいと思った。

―― 家事をしたら男の人にありがとうと言われたいし、髪を切ったら可愛いねと言ってもらいたい。

―― 言われるのを待ってるだけじゃなくて、可愛いでしょうって自分から口に出すのも大切かも。

というところで時間がきて終了です。

ずるいについてのお互いの経験や、男女の違いについての思いを共有するなかから、社会システム上の差別の問題や、差別があるがゆえに背負わされる責任の重さ、不安定を受け入れた先に生まれるたくましさなどにも話が発展していきました。そして、そこからさらに、

・「ずるい」と感じる人と感じない人の違いは何だろう？
・「ずるい」と「ずる賢い」の違いは何？
・「ずるい」と「羨ましい」の違いは何？

といった、「ずるい」という言葉を吟味する、てつがく対話ならではといえるような問いをえりさんから投げられることによって、「ずるい」が生じる状況や社会の構造の話だけには終わらない、自分の思考や前程としていることの再点検がうながされました。

なんで女の子の制服はスカートで男の子はズボンなの？

休憩をはさんで、次は大人とこどもがまた一緒の輪になってそれぞれに話した内容を共有します。こどもグループの対話の様子を志帆さんが伝えます。大人にとっては、こどもの対話の内容を聴くこの時間がいつも楽しみ。

スタートの問いは大人グループとほぼ同じだったようです。

Q　どんなときに「ずるい」と思うかな？

—— 学校で女子の言うことを聞かなきゃいけないと言われるとき。

—— ちゃんと謝っているのに、上から目線で話されるとき。

—— お姉ちゃんの都合に合わせないといけないとき。

—— ママとお買い物に行くときに、ママはお金をもってて高いものを買えるのに自分は買えないとき。

—— 中学に行ったら女の子はスカートなのに、男の子はズボンがはけるからずるい。

「制服」の話から、こどもたちはズボンとスカートについて話しはじめます。

—— 女の子はズボンとスカートがはけてバリエーションが豊か。

―― 女の子でもズボンが好きなのに、かっこいいズボンの種類が少ない。

そして、こどもからこんな問いがでてきます。

Q　女の子はなんでスカートはかないといけないんだろう？

Q　男の子はなんでスカートはいたらいけないの？

―― 男は男らしくした方がカッコイイ。女は女らしい方が可愛いから、女の子はスカートをはいたほうがいい。男の子はスカートはいちゃだめ。

―― 人それぞれ個性があるから決まりに従わなくてもいい。

―― 男の子も可愛い子がいるからスカートはいても似合うんじゃない？

―― でも男の子がスカートはいてると笑われる。

―― でも女の子はスカートはいてもズボンはいても笑われないし、似合う。

Q　男らしい女らしいって何？

―― 「〜らしい」は「〜みたい」とか「様子」ということ。

―― 男の子は跳び箱5段とかとべるとカッコイイし男らしい。

Q　「〜みたい」とか「様子」ってどういうこと？

志帆さんからのさらに突っ込んだ問いに対して、こどもたちはしばし沈黙して考えをめぐらします。

ケーキの平等なわけかた。
ぞうさんとアリさんは同じでよい？

そんなとき、「ずるい」の話をずっと考えていた年長の女の子が、自分の考えを話せるチャンスと、こんな話を出しました。

―― パーティでケーキをもらえなかったらずるいと思う。

この話をきっかけに、こどもたちはもう一度「ずるい」の話に戻ります。

―― 同じだけもらえたらずるくない。

―― 自分だけたくさんもらえたらずるいと思わない。

Q　なんで同じだったり、自分だけ多いとずるいと思わないの？

―― みんなで分かちあえるから。

―― うれしいから。

そんななか、こんな言葉がだされます。

―― 平等だといい。

Q 「平等」って何？

―― みんな等しいこと。

―― ずるくないこと。

―― 損得がないこと。

Q みんな「等しい」ってどういうこと？

―― 同じだけってこと。

Q 一つのケーキを、ぞうさん、ありさん、ねずみさん、わにさんに同じ大きさに切ってわけたら、これって平等？

―― そう！ 同じだけ食べることが平等！

―― 違う！ ぞうさんは足りない！ 平等じゃない!!

こどもたちは声を大にして意見を言い合いながら、「平等」ってなんだろうと知恵を絞って考えます。そこにこんな意見がでます。

―― ケーキを切らなければいいんだよ。

Q どうやって食べるの？

―― みんなでケーキを必要な分だけ食べるんだよ。

―― それいいね!!

Q でもぞうさんが一口で食べちゃってケーキがなくなったらどうしよう？

―― もう一個買えばいい。

Q 食べきれなかったらどうする？

―― 食べなきゃいけない人、もっと食べたい人が食べたらいいんじゃない？

―― みんなが笑顔になるのが「平等」かも。

一つのケーキをどうわけるかという考えに、そもそもの前程を疑ってケーキは一つではないという視点が持ち込まれたり、平等に笑顔を対置させたりと、こどもの発想の切り替えの妙にはいつもうならされます。

男とか女って言葉は必要？
「言葉」が何かを決めているのかも

ケーキの話はいったん落ち着き、ここでまた男女の話に戻ります。

―― 男と女なんていらない！ 男の人の体でも心が女の人もいるし、逆の人もいるし決めなくていい。

―― 男と女は絶対にいる！ いないと人類が絶滅して大変なことになる。

そこへまた、新たな「言葉」という視点が加わります。

―― 男と女は必要なんだけど、男と女という「言葉」がいらない。

―― 男とか女とかを表す言葉は一つでよくて、「○○」かそうでないか、それでいい。

―― 一つあるってことは、結局今と同じ。

―― 身体は男の子だけど、心は女の子もいて、男と女の二つだけじゃないから一つだけにするのはダメ。

とまた盛り上がってきたところで時間がきて終了です。男と女にとっての「ずるい」の違いから、「〜らしい」、「平等」、「言葉」についての根本的な問いへと話が展開したこどもグループ。ついつい、大人顔負けの対話と言いたくなりますが、大人はなかなかそんな対話はできません。別々に対話を体験してからこどもの様子を聴くと、なおさらその感慨は深まります。えりさん、志帆さんとも後で話したのですが、大人は複雑で絡み合った一筋縄ではほぐせないような対話を繰り広げることが多い一方で、こどもの方がシンプルな本質に近づく対話に至る場合が圧倒的に多いように感じます。

「てつがく対話で男女共同参画」は、今回はじめての試みでしたが、「ずるい」ということを手がかりに、大人もこどもも、女と男の違いや差別だけに限定されない、様々な視点に耳を傾け、自分の心にも問いかけるような場が生まれたように思います。終わったあとも考えつづける糧になるお土産たっぷりの対話となりました。

一人で考えるのもいいけれど、みんなと一緒に「謎解き」するとさらに楽しい♪ 進行役のえりさん、志帆さん、ご参加いただいたみなさま、ありがとうございました。

てつがく対話、その後のお話

「ずるい!?」のてつがく対話の後日談です。この半年後、参加していた小学生の女の子が、対話のなかでも話題になった「どうして中学の制服では女の子はスカートをはかないといけないの?」という疑問を、導入されたばかりの市民フリースピーチ制度を利用して、犬山市議会で議員さんたちに問いかけました。

「女子でも男子でも性別に関係なく着られて、人からもバカにされなくて、自分で着ても違和感のないような制服があれば、みんなが安心すると思います。」

この問いと提案を受けて、議員さん、犬山市教育委員会のみなさんが頭を寄せ合い、制服についての協議を重ねることになりました。そして、なんと、2021年4月から犬山市ではスカートでもスラックスでも選べるような、ブレザースタイルの新制服が選択肢に加わることが決定されました!

てつがく対話は単に考えを楽しむという個人的な行為にとどまらず、ともに考え対話するという点において、社会的な意味をもちます。本気の対話は現実を変える力がある。そのことが実感された一幕でした。

※　市民フリースピーチ制度は、2018年に犬山市が地方議会としては日本ではじめて導入した市民参画制度。市民が市議会で議員に対して町政への提言などを5分間自由に発言でき、有益なものは一般質問などを経て実現が図られるという画期的な取り組みです。

フリースピーチの様子
2019年9月2日撮影

全中学 ブレザー選択可に

犬山市、統一採用は県内初

犬山市教委は九日、市内の全四中学校の制服に二〇二一年四月からブレザーを採用すると発表した。ブレザーを自治体で統一して採用するのは県内で初めてという。

現行の詰め襟、セーラー服とブレザーのどちらかを生徒が選べるようにする。ブレザーを加える理由について、市教委は「動きやすく、寒さや暑さにも対応しやすい」と説明している。

女子がブレザーを着用する場合は、スカート以外にスラックスも選べるようにし、女子向けの細身のスラックスを用意する。県内では豊橋市が四月から、中学女子のスラックス選択制を取り入れている。

犬山市がブレザー採用を決めたきっかけは、昨年九月に市議会で行われた「市民フリースピーチ」。当時小学四年の女子児童が「なぜ女子はスカートで、男子はズボンなのか。性別に関係なく着られて違和感のない制服があれば、皆が安心すると思う」と発言し、市教委が検討に入った。

市教委は暑さ対策として夏の制服にポロシャツを採用することも検討しているという。（三田村泰和）

犬山市の中学校で来春から制服に採用されるブレザーのイメージ＝トンボ学生服提供

2020年6月10日（水）朝刊　中日新聞掲載

2019

Inutetsu Report_no.1-no.9
2019.05-2019.12 Text_Aki Minatani

三年目の記録 / ミナタニアキ

1 なんでウンコでみんな笑うの!?
2 「触る」てつがく対話
3 テーマから考えよう / 地球の国はなんでわかれているか
4 てつがく対話って何?
5 音で即興「聴く」てつがく対話
6 言っていいことと悪いことの違いって何?
7 アートでてつがく対話 part 3
8 青空てつがく対話「なんでお外は気持ちがいいの?」
9 犬てつするってどういうこと?

実験的な試みも行った三年目。

二年目にひきつづき志帆さんを進行役に、こどもと大人が一緒にてつがく対話を行います。もっと対話がしたいというリクエストが多かったので、これまで隔月だった開催を毎月に変更しました。こどもたちは小学四年生を中心に、新一年生もたくさん。リピーターのこどもたちはすでに対話の土台ができているので、初めての参加者がやってきても比較的すんなりと対話に馴染める場ができてきました。

いつものてつがく対話だけではない実験的な試みも。南山大学人類博物館での「触る」てつがく対話、コントラバスと一緒に即興演奏を行う「聴く」てつがく対話、アート作品を見て話し合う「アートでてつがく対話」、風や太陽を感じながらの「青空てつがく対話」など、言葉だけではない五感を通じた対話の可能性も探ります。

これまでテーマは主催者と進行役の側で事前に決めていましたが、今年はみんなでテーマを決める回も設けました。テーマを決めるためには、どうやって決めるかも決める必要がある。対話に入る前にテーマ決めで時間はどんどん過ぎていってしまう。そんなジレンマを抱えながら、みんなが納得できるようなテーマ決めの方法について、多数決以外の手段も考えながら手探りの対話が行われました。

折しもこの年は、あいちトリエンナーレの「表現の不自由展・その後」展が大きな社会問題になりました。「表現」とは何か、「自由」とは何かが広く問われるなか、犬てつでも「言っていいことと悪いことの違いは何？」というテーマや、トリエンナーレのテーマ「情の時代」に通じるようなアート作品をもとに、この問題を考える対話の時間をもちました。共感や同情の念はどうして芽生えるのだろう？　褒めるも叱るも「呼ぶ」という行為においては同じこと？　様々な疑問が浮かぶなか、他者の行為や表現に対して多様な解釈があることが実感されます。

他者に対する不寛容さや分断がそこかしこで顕在化しつつある時代にあって、犬てつでは「てつがく対話って何？」「犬てつするってどういうこと？」のテーマを通じて、「みんなで対話する」ことの意味を考えたいと思いました。てつがく対話はみんなの意見を聴いて自由に考え、よくわからないことを発見する場。そうした考えをベースとしながらも、その「みんなとは誰なのか？」「自由って何だろう？」「みんなが満足することは可能なのか？」といった問いに正面から向き合います。

犬てつでは遊ぶのも対話するのも自由なだけに、毎回のように小さな衝突が生まれます。そうした体験をふまえた上で、それぞれが自分事として、「自由」そして「みんな」について考えをめぐらすなか、犬てつすることの意味が問いなおされます。

こどもと大人のてつがくじかん。「ともにあるとはどういうことか？」という問いが、通奏低音のように響いていた一年でした。

1 今回のテーマ なんでウンコでみんな笑うの!?

進行役:安本志帆さん　2019.5.11.saturday

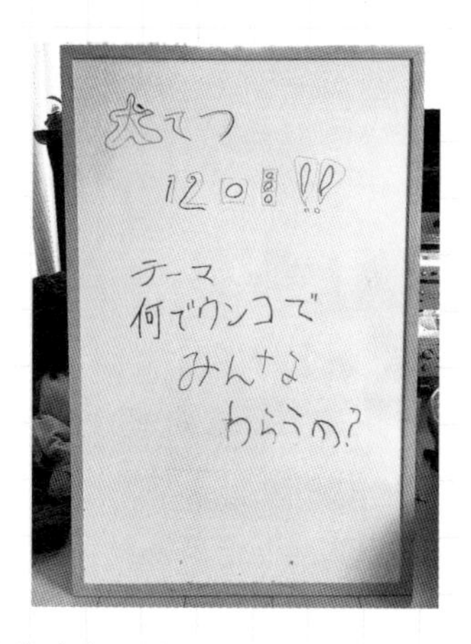

今年度初の犬てつです。久しぶりということもあってか予約数はあっという間に30人近くにふくれあがりました。犬てつではどんな形の対話がいいか、こどもたちの年齢や、参加者の様子を見つつ、毎年少しずつ形態を変えて試行錯誤しながら進めています。三年目の今年は、低学年が中心だったこどもたちもいつの間にか高学年に。そして、未就学児だったこどもたちが小学生になるという変化がありました。

だいぶ対話に慣れてきたこどもたち。今回はこどもと大人グループに分けるのではなく、参加者から進行役の希望者を募って、どういうグループを作るかも自分たちで決めるようにしてみようと志帆さんと話していました。「進行役をやってみたい人?」の声にハイハイと勢いよく手があがります。てつがく対話をまだほとんどやったことのない子も名乗りを挙げて、そこはリピーターが補佐役を引き受けることになりました。

ウンコが笑えてくる理由はウンコの一期一会性にある?

対話に入る前に、まずは今日のテーマになっている「ウンコ」を、みんなで紙粘土を使って制作します。そして、呼ばれたい名前を言いながら、みんながそれぞれのウンコを披露しました。

- ・バナナウンチ
- ・コロコロウンチ
- ・固いウンチ
- ・ヘビウンコ
- ・踏まれたウンチ
- ・下痢ピーウンチ

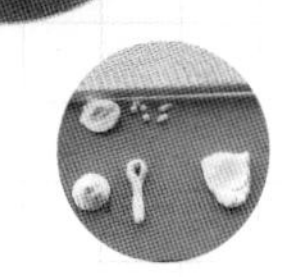

まずは志帆さんを進行役に、全体での対話です。

今日のテーマは、「なんでウンコでみんな笑うの!?」

Q　なんでウンコって聞くと、くすくす笑っちゃうんだろう?

―― 笑われたくないから学校でずっとやらなかったら便秘になっちゃう。

―― 汚いし、臭いから。

Q　汚いし、臭かったらどうして笑うの？

―― カビだったら臭くても笑わない。

―― その関係からみると、身体のなかから出てきたものは笑うけど、身近な回りにあるものは笑わない。

―― でも、身体から出てくるものでも、口から出るゲボは笑わない。

―― ゲボはいきなり出てくるからワーってなるけど、ウンチはみんなの前でしないから。

―― 人間はウンコで笑うけど、動物はウンコを笑わない。

―― 小さい子はウンコを笑うのかな？0歳の子とかは、自分の身体から出てきたばかりのものは、愛しいと思ってるかも。動物も赤ちゃんも笑わない。

―― 認知症の老人はウンコを壁につけたり、ウンコで遊ぶ人がいる。

―― 老人は死に向かってるからウンコが大切。小さい子は健康体だからウンコを出さなくてもいいと思ってる。

―― 大人はウンコが何かという排せつの仕組みがわかっているけど、こどもは何かわからないものが出てきて得体がしれないから面白くなっちゃう。

―― やったらいけないことをやってるとソワソワする。ウンコのことはオープンにしないと教えられているのに、あるのを目撃すると笑ってしまう。

―― 一年を通して同じウンコはない。食べ物によって日々変わるから面白い。

―― ウンチの一期一会性。

―― ウンコは人みたい。一人ひとり違うから。

様々な観察眼のある意見が飛び出すなか、志帆さんが黒板に書かれた「人気アイドルがウンコのTシャツを着てても笑わない」という落書きに気がつきました。「これ書いた子だれ？」と志帆さんが尋ねると、書いた子がこう説明します。

―― 好きな人がウンコのTシャツを着てたら笑わない。

Q　逆に普通の人が着てたら笑うの？

―― お笑い芸人とかだと笑う。

―― 立場によって違う、総理大臣とか。

―― 安倍さんがウンコのTシャツを着てたら笑わないかな？

―― 私は笑うよ！

形？ 色？ 臭さ？ どうしてウンコを笑ってしまうんだろう？

「これまでの話だと、便器とか、普段あるべきじゃないところにウンコがあると可笑しいんじゃないか？という話が出てきたよね」と志帆さんがまとめると、こんな問いが出てきました。

Q　昔の人は便器がなかったから、笑わなかったのかな？

―― でっかさに笑う。

―― 小さいのはみんな出せるけど、でっかいのはなかなか出せないから。リスペクト感！

―― ふんばっている姿を想像すると愛おしかったりする。その前は苦しかっただろうなと背景を考えると、笑っちゃったりする。

―― 小さいウンチでも、学校にあったらめずらしいから笑う。

―― 道路の真ん中にウンチがあったけど、犬にしては大きすぎて、でも、人にしては道路の真ん中なので、そのありえなさに笑えてきた。

Q　悲しいとか怒りじゃなくて、どうして「笑い」なんだろう。

―― 照れ隠し。

―― 意外性。

―― チョコ色の茶色性が笑いを誘発する。

―― 臭いもので笑う。

Q　なんで「臭い」と「笑う」んだろう？

―― 理科の実験でアンモニア使っても笑わないかも。

―― どうしてカラスは臭いのに生ごみを食べるんだろう？　カラスとかハエは臭くても笑わないどころか寄っていく。

―― カラスと人間は違う生き物だから。

―― 美味しいチーズとか臭いものがある

けど、人間も食べる。

―― 人間はみんな隠していてもウンコしてることを知っている。秘め事的にクスッて笑う。

Q　なんでそこで笑うんだろう。

―― 人前ではやらないとか、話さないとかみんなが思っているものがポロッと出ると、失敗感があるのかも。

―― 普通は便器ですると思ってるから。

―― おしりも隠すものだと思っていて、それがペロッと出ていると笑えてくる。

志帆さんが「笑い」ということに焦点を絞って質問することで、「臭い」「秘め事」「便器」「茶色」と、ウンコと笑いの関係が少しずつ具体的なものになってきました。

ここまで話したところで、次はAとBの二つのグループにわかれて、最初に立候補したこどもたちが進行役をつとめます。でも、立候補したものの、どうやって進行したらよいのかなかなかわからない様子です。補佐役のこどもや大人の助けを借りながら、なんとか意見を出しあって、シェアの時間にはまとめを発表してくれました。

Aグループの問いは「なぜ学校でウンコすると恥ずかしいか？」で、出てきた意見はこんなもの。

―― 臭さや音で恥ずかしいと思う。

―― ウンコは休み時間内に仕上げるミッションだと思っていたから達成感があって恥ずかしくない。でも臭さは気になる。他の人より臭かったらどうしようと思う。

―― 臭いウンコはかわいい。

―― そもそもどうして、みんなのなかでウンコは漫画みたいなソフトクリーム型だと思うんだろう？

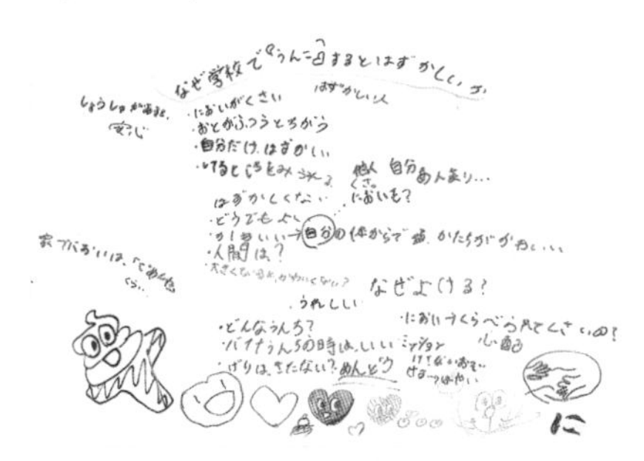

―― ウンコ型のアイスはなぜ人気なのかな？

―― 前に野グソしたけど、ソフトクリーム型ではなくてボトッて出た。

―― 固さによるのかも。

Bグループの問いは「なんでウンコを笑うのか？」で、出てきた意見はこんなもの。

―― プライベートな感じがするから、恥ずかしさがある。

―― 本来隠さないといけないタブーが表に出たものだから。

―― 生命的危機にあったらウンコにも笑えない。

今回は最初にウンコを作る時間をとったこともあって、両方のチームが発表したところで、あっという間に終わりの時間になりました。対話は深まったというよりは、それぞれの考えを出しあって終わったという感じです。てつがく対話は参加者みんなで作るものだから、ある意味進行役は誰でもできると言われるものの、なかなか志帆さんがやるようには対話は深まっていきません。でも、臭い、達成感、ソフトクリーム型、プライベート感、タブー、生命的危機など、問いを重ねて熟考すれば何かが見えてきそうな内容ではありました。

志帆さんからはじめての参加者に向けて、てつがく対話はまとめや答えを出したりしない、考えつづけてわからなかったことを楽しんで帰ってくださいという話があって今日は終了。最初に作った粘土ウンコはそれぞれに持ち帰ってもらいました。家でも続きの話がされたのか、どうなのか。ウンコにもいろんな話があるもんだと、ウンコをするたびに今日の対話が頭に浮かべば、ますますウンコが愛しいものになるのかもしれません。ご参加いただいたみなさま、ありがとうございました。

どうして？
なんでウンコで

なんで?
本当は
大きなの?
みんな笑うの!?

南山大学人類学博物館、CLAFA & 犬てつコラボ企画/春の哲学横丁祭り

2 「触る」てつがく対話

進行役:安本志帆さん　2019.5.25.saturday

南山大学人類学博物館、CLAFA、犬てつコラボによる特別企画です。

東海地方を中心に、てつがく対話に関心のある個人や団体がゆるやかにつながる「哲学横丁なごや」。暮らしの表通りからふと横道に入ってみると、てつがく対話に取り組む数々の多彩なテナント(店子)がお店を構えて来客を待っているイメージで、2018年に発足しました。当初から犬てつもテナントの一つとして参加していますが、今年は有志が集まって、春の哲学横丁祭りを開催することに。会場に南山大学を使わせてもらえるということで、以前から興味のあった南山大学人類学博物館でのてつがく対話を犬てつ発案で企画させてもらいました。

目隠しで触れる。目隠しで当てる。第一部「触る」ワークショップ

南山大学人類学博物館は、展示物に触れることができるとても珍しい博物館。2013年のリニューアルオープンの際に、大阪の国立民族博物館につとめる文化人類学者で全盲の広瀬浩二郎さんの考えに共感した同大学の黒澤浩さんが改装を担当し、ユニバーサル・ミュージアムを目指す博物館として再出発をきりました。「全ての人の好奇心のために　For Everyone's　Curiosities」を合言葉に、視覚障がい者や、マイノリティの立場に立った、感覚の多様性が尊重される博物館を目指しているそうです。

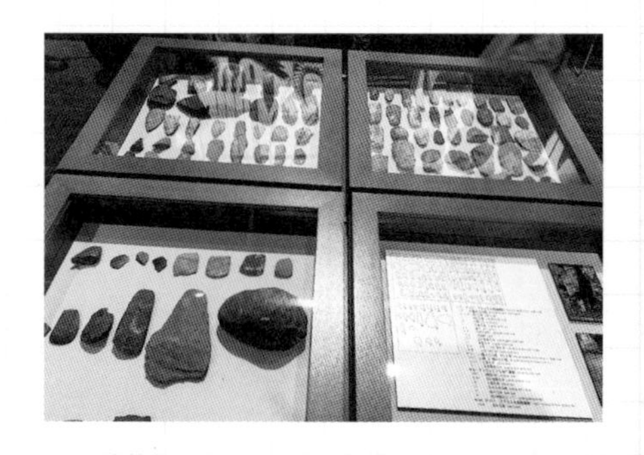

第一部の「触る」ワークショップでは、黒澤さんに講師をお願いし、こうした展示物を実際に触ってもらいながら、二つのチームにわかれてゲームをしました。まずAチームのメンバーは展示物から一つずつモノを選び、目隠しで座っているBチームのテーブルにそのモノを置きます。Bチームのメンバーは目隠しをしたまま、一人ひとり、目の前に置かれた何かを5分間触り、時間になるとAチームは再びその展示品をもとの場所に戻します。目隠しをとったBチームのメンバーは、展示室を歩きまわり、自分が触ったモノがどれかを当てます。

数百点に及ぶ展示物のなかで、目隠しで触ったものが本当に当てられるのか？ 興味津々で見守っていましたが、意外なことに一人を除く全員が自分が触れたものを当てることができました。その一人も、左右が逆の石器を選んでしまっただけ。よく考えてみれば、触っているときには裏を返すだけで左右の向きは変化する。視覚と触覚の認識の差が感じられる場面でした。

触って、鳴らして、温度で見る。第二部「触る」てつがく対話

休憩をはさんで第二部は「触る」てつがく対話です。てつがく対話初参加の人もいるので、まずはてつがく対話のお約束を説明します。

・人を否定するような発言はしない。
・思ったこと感じたことを自由に話していい。
・話したくないことは話さなくてもいい。
・意見を言えることを評価するのではないので、考えているだけでもいい。

そして、志帆さんから最初の問い。

Q　どうして目を隠していたのに、モノを当てることができましたか？

―― 目以外のところを使った。大きさとか、細かいところを手で触った。

―― ぼこぼこしてるとか、穴があいているとか、特徴を手でつかんだ。

―― 音が鳴るものは耳を使った。

―― 触っているけど、目のイメージとつながっている。

そして、今日特別に参加してくれている全盲のKさんに、参加者から「Kさんはどうやって当てたんですか？」という質問がありました。Kさんはこう答えます。

「最初は全体を触っているけど、だんだんと部分にいく。触感というよりは温度感。質感とかより温度感がそれぞれ違う。」

温度感という言葉にみんなは感心している様子。普段は触感や質感という言葉で考えがちですが、温度感と言われてみると、確かにそういう感覚も使っていることがわかります。

Q　触ることで見たときの記憶と結びついたという話がありましたが、逆に実際に見たときイメージと違った人はいますか？

―― 触っているときに素材が木だと思って、濃い茶色を思い浮かべたけど、思ったよりも薄い茶色だった。大きさももっと大きいものを想像していたけど小さかった。

―― 触ったときは色がついていると思ってなかった。でも探しているとき、もしかしてと思って色つきのものも探し始めた。

―― 指先で触るのと、手の平で触るのとでは感触が違う。

―― 変なものをもってこられていたら怖いなと思って恐る恐る触った。変なところに穴があるから恐怖心が出てきた。

―― 展示品にはナイフとか危険なものもあったから、ビクビクしながら触った。最初に展示室を見ていたのである程度想像できたけど、何を触るのかまったく想像もできない状態だったら、もっと怖かったと思う。

―― 選ぶときに触るだけじゃなく、耳でわかるように、音の出るものを選んだ。

触ることと見ること。
温度で感じれば、色も触れられる？

ここでまたKさんに質問です。

Q　見えないことの怖さについてはどんな感じですか？

―― 自分にとって触らない限りは無いものと同じ。一寸先は闇で、数センチ先にあるものでも、触らなければ自分にとっては無いもの。目が見えているときは寒いと手袋をしてた。でも、目が見えなくなってから手袋をしなくなった。手袋をしていると目が見えない感覚で怖い。

Q　手袋をしていると目隠ししているようで怖いという感覚と、何が自分の前に出てくるかわからないという怖さとは同じ怖さだと思いますか？

―― 展示品を壊したら怖いなと思った。

―― 急に目が見えなくなると怖いと思う。今までと違う状態になると怖い。

―― 生まれたときから目が見えないと怖くないのかな？

Q　「触る」ことと「見る」ことはつながっているという話が出てきましたが、「見る」とかなり同じことが「触る」でもできるのか？「触る」とはどういうことでしょう？

―― Kさんの「温度」で感じるという言葉にはっとした。見るのと触るのは似てるのだけど、感じるセンサーが違う。目で見るのとは違う見方をしている。

―― （Kさん）今まで「温度」で感じると考えたことはなくて、質問されてはじめて出てきた言葉で自分でも驚いている。光は波の一種なので、身体で感じることもあるのかも。色を触ることができるかも。

問われることによって、はじめて出てくる言葉。ここでも一緒に対話することの醍醐味が表れています。

―― 目をつぶっていても、太陽の光が少し黄色に見える。

―― 深海では赤の光が通らない。住んでいる場所によって色の見え方が違う。

―― 光は波かもしれないけど、レコードに刻まれた溝を見て音を感じることができないように、光を目ではない身体で感じるのは難しいと思う。まったく未知の世界の怖さというものがあるけど、触ることによって何かの経験につながれば、見知った世界に接続されて怖さがやわらぐ。

―― 触る＝確かめる＝感じる。

―― ここに来る前に「触る」を辞書で引いてみた。英語の「Feel」の語源は「触って感じること」。そこから、触って確かめることになり、そこから触らずに雰囲気で感じることもFeelになった。

触らなくても感じる「気配」。触る、感じるの違いとは

「触る」からはじまって、「怖さ」「色」「光」「感じる」など話はどんどんと広がっていき、その話に触発されてまた次々に手があがります。

―― 「色」は「音」で感じる。明るい感じの色はこの音とか、暗い音はこの色とかがある。

―― 温度も色で感じる。暖かい色と冷たそうな色とか、色で温度を感じる。

―― 触らなくても耳で感じることができる。

―― こどもの頃に目が見えなくなって顔を忘れても、声だけは覚えているんじゃないか。

―― 触らなくても感じるものに「気配」がある。

Q 「気配」ってなんでわかるんだろう？

ここで何人かのこどもたちが前に出てきて、後ろを向いて何かしたときにわかるかどうかの実演をはじめます。結果は……、「わかる気配とわからない気配がある」でした。

話は次に進みます。

―― 人が近くに来ると音が遮られるとか、身体で感じることができる。

―― 隅っこにいると鬼ごっこのときに見つからない。

―― 僕は即つかまる！

―― 私は視線が合ってもつかまらない！

―― 鬼が早く過ぎ去ると、そこにいる気配がすぐに消え去る。

―― 鬼は追いかけている人に集中しているから、他の人は目に入らない。

―― さっきKさんが言ってた「触る瞬間までは無いと同じ」ということと、「隅っこにいたら目が合っても鬼につかまらない」というのはどこかでつながっているかもしれない。

―― 一寸先は闇かもしれないけど、触る前に何かを予想していて、触ってそれを確かめることがある。鬼ごっこのときも、あそこにいそうだな、と予測を立てていて、予測と違う場所だと通りすぎることがあるかも。「先取する」ということが関係している。

―― 「触れる」には直接「触る」ことだけじゃなくて、「心が触れる」とか「触れ合い」とかがある。色を音で感じたり、「声色」という言葉もある。目で音が見えることがあるなら、まわりまわって触って見ることができることにもつながっている。

―― ワークショップで出されたモノを触りながら、この人は意地悪なものを選んできたなとか、意図も読み取っている。相手を受け入れているかどうかが関係している。

―― 物体の真実を知る器官はどこなのかなと考えていた。みんなの話を聞いて、それは一つじゃないと思った。情報を集めるには一つの器官だけだと不足している。「触る」のテーマで音や色が出てくるのはそういうところがあるかも。

―― 「触る」ことと「怖い」ことが関係してる。触らないとわからないけど、触って壊しちゃうかもしれないから手袋をしてないと怖い。見るとすぐわかるけど、触るときは5分かけて触った。触るのは時間がかかるというか、時間をかけられるというか……、「時間」に関わっている。

というところで、時間がきたのでこれでおしまい。気配、予測、情報、記憶、時間の問題など、何かの核心に触れているようだけど触れられない、そんなもやもやとした「触る」をめぐる対話が繰り広げられました。

触覚にフォーカスしたワークショップをしてからの対話だったので、自分の体験に即した言葉がたくさん沸き上がり、しかもKさんの感覚や経験も共有してもらえることで、なかなか普段は考えないようなところまで、みんなの思考が手探りで進んでいったような気がします。

そういえば、カタツムリは触角の先に目があるし、触角で味や音も熱も光も感知できる虫もいたはず。

「Feel」の話でもでてきましたが、「触る」は「感じる」の原点にある感覚なのでしょう。じゃあ、「感じる」って何なのか？　問いは一向に尽きません。

触覚が刺激されると、言葉も理解も変わってくる。普段の犬てつではあまり積極的に参加していなかったのに、ここでは水を得た魚のようにのりのりで参加していたこどももいて、思考のスイッチがどこで入るかは本当に人それぞれ。でも、対話はここで終わるわけではありません。いつか誰かの言葉がふっと思いだされたり、ここでの記憶が触覚、視覚、聴覚とともに脳裏に浮かんだりすることもあるのかも。紅茶に浸したマドレーヌの匂いから幼少時代の記憶が鮮やかによみがえることもあるように、対話はきっと未来にもつながっている。ご参加いただいたみなさま、ありがとうございました。

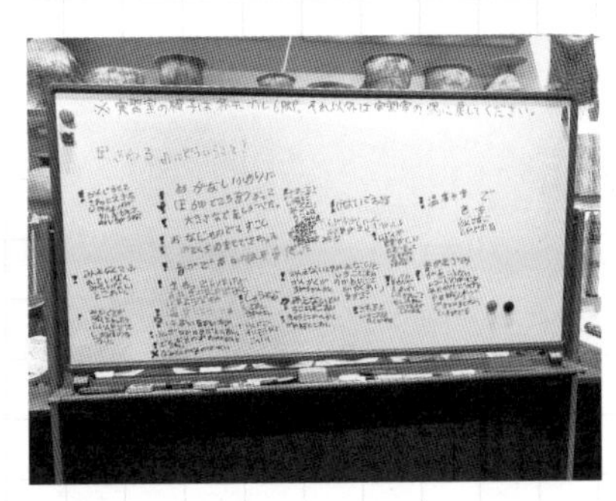

※実習室の椅子は各テーブル6脚。それ以外は実習室の隅に戻し

SIDE 7
JABURO
LUNA 2
ODESSA

※写真はすべて南山大学人類学博物館内で撮影

ひんやりとしてて

どんな音？

硬いような少しやわらかいような、これ木かな？

どんな色だろう

ナイフみたいに危ないものだったらどうしよう・・・

ぽこぽこでくねくね〜〜

テーマから考えよう　地球の国はなんでわかれているか

進行役：安本志帆さん　2019.6.8.saturday

今回は東海テレビさんの取材が入ったり、新しい参加者も多かったりと、いつもとはちょっと違った雰囲気が漂っています。

最初のウォーミングアップは、夏が近づいてきたということで、志帆さんから「お祭りで好きな屋台は何ですか？」の問いが出されます。金魚すくい、フルーツ飴、射的、ガラス細工、ヨーヨー釣り、水飴せんべい、型抜き、かき氷、肉ホルモン、たこ焼き屋さん、スーパーボールすくい、飴細工、お好み焼き屋さん、チーズハットグ、綿菓子など。今はあんまり見かけないものから、昔から定番のもの、最新の流行まで、聞いているだけでわくわくします。

答えのある問いは、なぜダメ？
科学で証明されたことは真実？

お祭りの思い出で盛り上がったところで、今日はテーマからみんなで決めます。犬てつが終わった後に、こんなテーマで話してみたいというこどもたちの声をよく耳にするので、志帆さんとじゃあまたテーマから決めてみようという話になりました。テーマ決めはこれで二回目。こどもたちは次々に考えたいテーマを挙げていきます。

・「生きているってどういうこと？」
・「地球って何？」
・「人はなぜ水がないと生きていけない？」

そこにこんなつっこみが。

―― それ、科学的に証明できるんじゃない？

Q　なんで科学的に証明できるとダメなの？

―― てつがく対話は答えがないものの謎解きのようなものだから、答えがあるものより、ないものの方を考えたいから。

Q　科学で証明されたことって真実なの？

―― 科学的じゃないものもいっぱいある。UFOとか。でも、なんで地球ができたかはわかる。

答えがある問いはどうしてダメなのか、についての意見を確認したところで、その結論を出さないまま、また問いだしに戻ります。

・「時間ってなあに？」
・「色って何？」
・「なんで人は考えるのか？」
・「寿命とか最後は死ぬのってなんで？」
・「なんで人間は死んじゃうの？」
・「人間に服は必要？」
・「長生きしたほうが幸せなのか？」
・「本当の愛ってあるの？」
・「自分って何？」
・「人はなんでだらだらさぼりたくなるの？」
・「人はなんで飽きるの？」
・「なんでこどもは考えのかたまりなの？」
・「なんで地球の国は一つひとつわかれているの？」

生きる、地球、時間、色、服、人間、自分、死、愛、飽きる、考える……自分とそれを取り巻く世界についての、本質的で謎に満ちたテーマがたくさんでてきました。

じっくり時間をかけて テーマ決めの決め方を決める

さて、次はテーマ決め！となったものの、どうやってここからテーマを一つに決めればいいのか？　どよめきが起こって、みんな頭をひねります。そんなとき挙がった第一声が、「オレのがいいのに決まってるじゃん〜」。

そして、次々に他の意見も。

—— みんなの関心が多いと集中して考えやすいから多数決がいい。

—— なぜそれにしたかの理由を言って、納得する人が多いのに決める。

—— やっぱオレのでしょ！

Q　やっぱオレのでしょ、って人が二人でてきたけどどうする？

—— オレの！っていうのと多数決で決めるかの、決め方を多数決する。

—— あみだくじがいい。

—— あみだくじと多数決とオレの！をやる。

志帆さんは最後の案はどういう意味か、案を出してくれたこどもに確認しますが、その子は同じ説明を繰り返して志帆さんにはその言わんとすることがなかなか伝わりません。時間が過ぎるなか、場のみんながその子の意図をなんとか理解しよう、翻訳しようとつとめてくれて、ようやくそれがこんな案だということがわかります。

・あみだくじと、多数決と、オレの！の三パターンを全部やってみて、それぞれで選ばれたもののなかで多数決をする。

この案をどうしても理解してもらいたい、やってみたいというその子の気持ちがみんなにも伝わって、このやり方でやってみようかという流れが場に生まれます。じゃあ、とりあえずやってみようかということで、まずはあみだくじ。「でも、あみだくじは誰が決めるの?」「・・・志帆さん?」ということで、そこはサクッと志帆さんに選んでもらいます。決まったのは「Q　人はなんで飽きるの?」の問いでした。「じゃあ、次は多数決?」いう話になると、「それやってたらものすごく時間かからない?」といった意見も出てきます。

Q　時間がかかるって意見も出てるけどどうする?

── やっぱオレオレ!

ということで、話してもなかなか決まらなさそうなので、とりあえず多数決をすることに。一人二回まで手をあげられることにして、多数決を順にとっていきます。一番票を集めたのは、「Q　なんで地球の国は一つひとつわかれているの?」でした。

最後は、「やっぱオレのでしょ!」のやり方で決める番です。

── オレのでしょ!と言った人の問いは多数決の結果に三ポイント足す!

── でも、それだと多数決になっちゃうよ?

── こんなことやってると時間なくなっちゃうよ!!

── オレのでしょ!に二ポイント追加!

場はまとまりなく紛糾します。すると、その勢いに乗じてか、それまでオレオレ!の主張をしてなかった別のこどもが「私のがいい!」という主張を新たにはじめました。この子のテーマはすでに多数決で最多票を集めている「なんで地球の国は一つひとつわかれているの?」です。オレオレポイントを加算すると、圧倒的多数でこのテーマが候補となります。でも、それだと多数決になっちゃうという意見もあったし、本当にこれで決定していいの?という疑問もあります。

そんなとき、さっきの三パターン全部やりたいと言ったこどもが率先して「なんで地球の国は一つひとつわかれているの?のテーマがいいと思う人?」と多数決をとりはじめ、大多数がこれに手をあげました。それを受けて志帆さんが「じゃあ、今日はこのテーマで決めていいですか？　ちょっとそのテーマじゃ絶対嫌だっていう人はいますか？」と問いかけると「俺の問いでしょ！」と言い続けていたこどもが、勢いよく「ハイっ！」と手をあげます。

その子の気持ちを受け止めながら、志帆さんはもう一度丁寧に「もう帰りたいくらい嫌？　僕の問いはまた今度考えられたらいいかって思える？」と問いかけるとその子は力強く、「思えるー！！！」と答えてくれました。

ということで、みんなの合意ができ、自然と拍手が沸き上がります。以前にみんなでテーマを決めたときは、いろいろ出たテーマから一つを決めるのに、多数決とあみだくじの案がでて、その二択をまずは多数決で決めることになり、多数決の結果、あみだくじに決まり、そのあみだくじの結果で、テーマが決まった経緯があります。そのときは今回ほどは時間もかからずにテーマが決まったのですが、その結果に納得がいかなくて、その後の対話を放棄したこどもも出てきました。

でも、今回は時間をかけて、一つひとつのプロセスをみんなで確認しあいながら進んでいったので、自分の主張が数や運の力で退けられたと思うのではなく、場のなかで醸成された合意を素直に信頼できるような土壌ができていたように思います。そうした場の納得度は、肌身で伝わってくるもの、なのでしょうか？

その一方で、本当にそのときに居心地の悪い思いをしている参加者がいないかどうか、どうやったら私たちは知ることができるのでしょう？ ノリやなんとなくの場の空気感で、「みんな」が納得していると思うことには、落とし穴があるかもしれないということを、常に意識しておく必要があるように思います。「民主主義」は本当に難しい。

言葉は同じでも異なる意図。
自分が本当に問いたいことは？

休憩をはさんで、てつがく対話のはじまりです。テーマは「地球の国はなんでわかれているか？」

Q　これについて意見のある人いますか？

―― 昔はミサイルがなかったから。国がわかれてなければケンカはできない。

―― ミサイルがなくったってケンカはできる。

―― ミサイルって戦争レベルだと思う。

── しょうもないことでミサイルは打たない。単なるケンカで人は殺さない。この国を乗っ取るとかだったらあるかも。

── 昭和とかの戦争は、オレの言うことを聞かないとミサイル打つぞってなってた。

Q　そうなの？

「だってお母さんがそう言ってたもん〜」と言いながらその子からは笑いが漏れます。お母さんからの受け売りの発言だったことに自分で気づいたみたい。

── 経済的な理由で、モノが欲しくて、同じものを誰かが取り合うときにもケンカがおこる。

なにやらケンカや戦争やら、争う話ばかりが飛びだします。すると、このテーマを出してくれたKちゃんが、たまらなくなって声を発しました。

── 日本は変な形で、海のなかは島と島がつながっているでしょ！ 深海には土があって、水がなければ絶対島もつながっていたんだと思う!! 穴を掘って水を入れたから、離ればなれになったのかな？

まわりから「なるほどねー」という声が漏れます。志帆さんは言葉を補いながら、論点をわかりやすく整理します。

── Kちゃんがこの問いで考えたかったのは戦争のことじゃなくて、海と陸がどうしてわかれているのかな？ということだったんだね。でも、他の子が言ってくれた戦争でわかれるということも、国と国がわかれるということだよね。でもKちゃんは、それは私が言いたかった問いではないよと伝えてくれたんだよね。ありがとう。

Kちゃんは自分の意図がわかってもらえて少しホッとした様子。そこからまた、他の子たちから戦争とは違う視点や、どうしても戦争にこだわってしまう視点からの、国についての意見がでます。

── 大陸は陸続きだけど国境線がある。海があるからわかれているだけじゃない。

── 海があって、はしごでどうやって海の中の、中の、中の、中の、中を行くの？ そんな長いはしごはないし、海だったら船で行けばいい。

── でも、船で行ったら重いものとか持ってると沈んじゃったりするよ。大砲打たれてかすったら沈んじゃうよ。

―― なんで戦争をするかっていうと、人間は一人ひとり考えが違うから、偉い人がなんか言ったら国として違う考えができる。

―― 文化の違いがみんなわかってきてる。

―― わけるのは人間だからかな？　動物だったらわかれてないのかな？

―― 話は戻るけど、モノが欲しくて戦争になるという話があったけど、お母さんとケンカしてお菓子が欲しいと言って戦争になったりするのかな？

―― 僕的には、国をくっつけたい。インドとかアメリカとかなくして、国をくっつけたい。

Q　一つにすると戦争はなくなるの？

―― ああ、でもそしたら国のなかで戦争するのか……。

―― 話は戻るけど、国境ができるのはなぜかというと、人と人が集まって、同じ土地に住み着いて、集団生活にルールができるから自然にわかれる。日本は戦争をしない建前だし、スイスは永世中立国で戦争はしませんよという立場だから、戦争することは国の固有の権利とは言えない場合があることも考えないと。

小学生にはなかなか難しい話が大人からでてきました。志帆さんはこれをこどもにもわかりやすい言葉で言いかえます。

―― 違う国になると戦争になるよ、ということでみんな話していたけど、たとえばみんなが住んでいる日本は戦争しないよと言っているから、国が違うだけで戦争するわけではないよ、ということだね。

国の違いは文化や表現の違い。お互い認め合えたらいいのでは？

次に、それまで何度か手をあげていたのに、なかなかコミュニティボールが回ってこなかったこどもがいるのに気がついていた志帆さんは、その子が発言できるようにとボールをまわします。

―― 国がわかれているのは、国によって文化が……

とその子がやっと話しはじめたときに、ちょっとしたハプニングが起こります。タイミングが悪いことに、志帆さんは後ろでホワイトボードに記録をとっていたこどもから話しかけられ、そちらに気をとられてしまいます。その間にその子は話を続けることができなくなって、顔をうずめて泣きだしてしまいました。

志帆さんはそれをフォローするために場に向かってこんなヘルプを投げかけました。

Q　Yちゃんの話を私が聞けてなかったのだけど、Yちゃんの言いたかった話を誰か補足できる人はいますか？

どうフォローしていいのかわからない様子のこどもを前に、大人がこう言葉を継ぎます。

―― Yちゃんは文化の違いって話をしていて……。国が違うということで戦争が話の中心になっているけど、国が違うと戦争になるという話はとてもさみしくて、文化の違いで考えるとお互いに認め合えるかなってYちゃんの発言から気がついた。大陸のなかで線が入っている意味は、もともとはそういう文化とか、言語とか、宗教とか、そんな違いから生まれると考えられるといいのかな。

―― 国ってそれぞれ特色があるから、自分たちの国の表現をしているだけなのに、他国からみたら違うという区別をしてしまうけど、それぞれの国の文化とか、その国が持ってる資源とか、暑いとか寒いとかでそれぞれできるものの違いがあって、それが国同士の特色になっているんじゃないのかな。

―― どうして地球の国はわかれているの？っていうテーマだったのに、戦争のテーマになっちゃってた。貿易とかもあるけど、みんな仲良くしてると、いろんなことを教えてもらえる。外国の人とは友達になる方がいい。

―― 国境線というのは、戦争で領土の取り合いでできたというのもあるけど、国と国が仲良く協力しあえれば、お互いに持っているものを交換できる。

――「地球が一つになった方がいい」という話がある一方で、「戦争」という言葉が出てくるのは何でかな？　さっき出ていた動物には線がないという話を考えていたんだけど、動物にも縄張りがある。もしかして、守ろうという意識がどうしても潜在的に働いてしまって、守るための働きが戦争という形になるのかも。「守る」ということと、「戦う」ということは切り離せないものとしてあるのかも。

―― 戦争は戦うということではなく、決まってないということだとすると……、決まってないがゆえに何でもOKとなってしまう状態を、何かの決まりがあることで、ここまではダメということの区切りが見えるから、線があるんじゃないか。

―― ラインが地理的な区切り、たとえば海があったり山があったりで決まっていると納得がいきやすいんだけど、それが定規で引いたみたいな人工的な線だと、そこでまた争いが生まれてしまうのかな。海の下でつながっているけど、海で区切りができているとか、そうした自然な区切りがいいのかも。

―― 海が国を区切ったんじゃなくて、国のなかでも区切られてる。

どうして国がわかれると戦争の話になるんだろう

Q　国がわかれているということで、どうしてこんなに「戦争」って言葉がでちゃうんだろう？「守る」ってことかなという話も出たけど。

―― 戦争を仕掛ける方も仕掛けられる方もダメージが出る。ダメージが多い場合はいきなり戦争をはじめるわけでなくて、外交とかいくつかの段階を踏むから、いきなり戦争ということにはならない。

―― 今日のテーマは、なんで戦争をするのかではなく、なんで国がわかれているのか。その問いで考えると、私はあきらめるための人間の知恵かなと思う。信じているものや、大事にしているものの違いがあって、それでも人と人が仲良くなろうと思うと、心のなかにモヤモヤがあっても、線引きをすることによってあきらめるという人間の知恵が働く。

Q　さっきの「文化」の話にも通じるけど、大事なものを守るためにあきらめるという感じ？

―― 言葉が違ったりすると、仲良くなりきれなかったりする。仲良くなりきれないときに、どうやって心をおさめるかというと、線引きによってあきらめる……。

―― それって、てつがく対話のルールに通じるところがあるような気もする。ルールがあることで言いたいことが言えないときもあるかもしれないけど、ルールがあるなかでできることをしよう、ということで取り決めがある。それは国境を決めてそのなかでやろうとすることと、どこかで通じる。やれないこともあるけど、その分やれることも増える。

―― 身近で一番区切られているのはどこかと考えると、家の敷地とか。敷地の区切りがあるから、そのなかで安心して暮らせるし、急に人がどっと来ることもなく、安心してこどもも育てられるかな。安心感のある人たちの集まりからはじめた方がやりやすいというところに境界線の意味もあるかも。

―― 国の線引きも家の線引きも、自分たちの居場所感覚が基本にあって、その大きなサイズが国なんじゃないかな。

そして、参加者の大人からこんな問いが向けられました。

Q　戦争の話をしてる男の子たちに質問なんだけど、国と国の線を決めるときに、てつがく対話みたいな話し合いはできると思う？どうしてもミサイルでっていうイメージになってるけど、話し合いもありですか？

―― 本当にケンカしてるときは、話し合おうって言っても話し合いにならない。相手が落ち着いてからしか話せない。

Q　落ち着いたら話し合える？

―― 相手が平和で、二人とも平和だったら、合体した方がいい。

Q　ケンカをしているときに線が引かれるという感じ？　線を全部なくせばいいという話が出たけど、なくすためのアイディアとかない？　線をなくすことはできるのかな？　なくした方がいいのかな？

そんな質問が、また参加者からこどもたちに向けて投げられます。

―― 少子化で人が減ってるから、戦争で人は死なない方がいい。戦争、意味なくない？

―― 戦争は人類絶滅しちゃう。

Q　絶滅したらダメなの？

―― 自分が生まれて死ぬまでのすべてのものがなくなって終わってしまうのは嫌だ。

―― 強すぎる敵がいたら、仲間と協力してその敵を倒そうとすることもある。

―― 国と国とが仲良くするにはどうしたらいいかということだけど、政治が安定していれば協力しあえる。政治が安定しているのが、戦争しない前提なんじゃないか。

というところで、時間になったのでこれで終了。国がわかれるという話から、地理、資源、経済、文化、宗教、安心感などを背景にした、戦うことと守ることの両方の側面が浮き上がり、どうすれば戦うのではなく仲良くする方法が探れるのかといった話にもつながっていきました。

答えの一つは、最初の問い決めのプロセスにもあらわれていたような気がします。それぞれの境界をもった一人ひとりが、いろいろなバックグラウンドをもとに、自分が大切にしたいテーマを主張したとします。でも、必ずしも自分の意見を通したければ通したいだけ、相手の意見を退けたくなるというわけではない。違う意見があったとしても、内容やプロセスに納得がいけば、受け入れられるということは往々にしてあるのではないでしょうか。

民主主義では多数決の原理が採用されることがよくありますが、多数決に至るまでの対話のプロセスもとても大事。そんなことを一から考えさせられるような対話の場になりました。ご参加いただいたみなさま、ありがとうございました。

どぶってなに？
げんごうってなに？
なんでたべるの？
ジュースってなに？
なんでむしばになるの？
がっこるなに？
なぜうまれるの？
おとってなに？
なんでねむくなるの？
かたちはなに？

今回のテーマ　てつがく対話って何？

進行役：安本志帆さん

2019.7.6.saturday

犬てつでは、こどもと大人のてつがく対話「犬てつ」の他に、昨年よりてつがく対話に関心のある大人を対象とした「こども哲学進行役・実践ワークショップ」を開催しています。「進行役とはどういうものか？」「てつがく対話とは何か？」といった問いをてつがく対話で話し合うほか、当事者研究やディベートといった隣接領域との比較を通じて探ってきました。

三年目だからこそ、考えたいこと。誰かの自由は誰かの不自由？

今回は、この実践ワークショップでもテーマにした「てつがく対話って何？」をこどもたちと一緒に考えます。

その背景の一つに「犬てつうるさい問題」がありました。犬てつでは、こどもたちが自分で考え、話し、行動することを大切にしているため、こどもたちを「叱る」ということがありません。対話に参加するのも遊ぶのも、こどもたち自身が決めています。疲れてきたら押入れに入って休憩がてら遊んだり。そもそも遊ぶことが目当てで対話にはたまに耳をそばだてるだけだったり。でも、そうしたこどもも犬てつは対話する場だということはきちんと理解しています。そして、志帆さんも私も、積極的に発言する人だけでなく、どれだけ遊んでいようと、なかなか対話に入ってこなくても、そうしたこどもの一人ひとりが、犬てつの場を形づくるかけがえのない参加者だと考えてきました。

ですが、遊びがエスカレートして、大きな声や音を立てたり、ケンカがはじまったりという事態も発生します。そうなると声がうるさくて聞こえなかったり、対話に集中したい子ができなかったり。

誰かの自由は誰かの不自由？　それは前回の「地球の国はなんでわかれているのか」の対話にも出てきた、てつがく対話のルールの話にも通じそう。ルールがあることで言いたいことを言えないときもあるかもしれないけど、ルールがあるからできることもある。でも、話したくてもボールがまわってこなくて話せない子がいるときに、いくら次の人を選ぶ権利がルールで決まっているからとはいえ、ボールをまわさないのはボールを持っている人の自由なの?

こうしたことも念頭に、「てつがく対話って何?」について、みんなで話してみることになりました。こどもたちはリピーターばかりですが、てつがく対話は初めての大学生も参加しています。まずは志帆さんが「てつがく対話のルールがわかる人?」と質問すると、こんなポイントが挙がります。

・話したい人がボールをもって話す。
・言ってくれた意見を大切に、けなしちゃいけない。
・けなしちゃいけないけど、それに対して自分は違うという意見は言っていい。

これをまず確認したうえで、「呼んでもらいたい名前と、夏にやってみたいこと」についての簡単な質問タイム。一人で旅行、流しそうめん、家でクーラーいれて涼む、川泳ぎ、スイカ割り、キャンプなど、夏らしいイベントが挙がりました。

一番したいことができるのは誰?「自由」や「権力」について考える

次いで、頭のウォーミングアップということで、志帆さんが黒板にこんな問いを書きます。小さいこどもにもわかるように、すべて平仮名。

Q 「いつでも、だれよりも、したいことができるひとはどのひと?」

1 おおいそがしのおかあさん
2 おうさま
3 おかねもちのひと
4 ほーむれす(おうちのないひと)
5 おまわりさん
6 がっこうのせんせい
7 ようせい
8 じゆうにとびまわるとり
9 すきっぷしているこども
10 あそんでいるこどもたち

押入れに入ってるこどもからこんな一声があがりました。

—— 2番の王様! 一番偉いから。

Q 偉いって何?

—— 国語辞典で調べれば?

その斜に構えた返事に、志帆さんは「Tちゃんはどう思うの?」と問いかけます。Tちゃんはしばし考えてから「権力を持ってるから」と答えました。それに対して、別のこどもからこんな意見が。

―― でも、権力を持ってる分、スケジュールがいっぱいだから「したいこと」ができないよ。遊んでいるこどもの方が「したいこと」ができる！

―― でも、遊んでいるこどもは自由にできないと思う。

Q　どうしてそう思った？

―― だって遊んでいるこどもはお手伝いしなさい！とか言われる。

Q　こどもは忙しいってこと？

―― 大忙しのお母さんの方が、こどもにやらせられるからいい。

―― 遊んでいるこどもたちも、本当はやりたいことが料理とかかもしれない。でも、やらせてもらえないから遊んでいるだけかも。遊びたいかもしれないけど、いつも遊んでいると飽きてくる。

Q　じゃあ、何番がいいと思う？

―― ７番。妖精は目に見えないから特別な感じ。やらないといけないことがなさそう。

Q　特別だと何でしたいことができそう？

―― 自由に料理とかもできるから。

―― 一番最悪な人は、お家がない人。

Q　何が最悪？　最悪って一番悪いってこと？

―― 嬉しくないこと。

Q　お家のない人はなんで何にもできないと思いますか？

―― お金がないから、買いたくても何も買えない。

Q　お家がなくても、炊飯器とかあって、コンビニのご飯とか買ってこれたらどうだろう？

―― お家がなくて何もできないけど自由に何でもできる。奥さんとかもいないから、やってって言われることがないから。

Q　お家がないと奥さんがいないの？　奥さんにはやれって言われるの？

との志帆さんの質問に笑いがもれます。

続けて「6番の学校の先生」という意見が挙がります。

Q　何でそう思いましたか?

—— 学校の先生は、なりたくてなってるから。

Q　学校の先生はみんななりたくてなってるのかな?　もしやりたい仕事に就いたら、どうして一番したいことができるって思う?たとえば5番のおまわりさんもなりたいと思ってなってるかもしれないよね?

—— その場合は先生もおまわりさんも同じ。

—— 学校の先生はもしかしたら自由じゃないかもしれない。学校の先生になりたくてなっても、大変なこどもがクラスにいて、時間がなくてやりたいことができないかもしれないから。

Q　やりたいことをやってても、時間がないとやれないかもしれないってことね。

—— 大変なクラスでも、もしかしたら先生もそうしたこともわかって先生になりたいと思ったかもしれない。

—— 学校の先生は勉強を教えたりしないといけないから自由じゃない。先生が勉強教えないと学校の意味がないじゃん!

Q　学校は勉強を教えるところ?

—— おまわりさんは、止まれとか言えるから、おまわりさんが強い。

Q　おまわりさんは権力があるからね。じゃあ、王様とはどう違う?

—— 王様はスケジュールとかいっぱいだから好きなことができない。警察は家来とかいないから、言うことを聞かなくていい。

—— でも、警察はいつ事件が起こるかわからない。

—— 先生は勤務時間が長いし、結構いろいろなところを見られている。

ここまでこどもが主導で話が進んでいたので、志帆さんは大人の発言も促します。

Q　大人は何かありますか?

—— 3番のお金持ちかな。お金で何でも買えそう。でも、お金目当ての人が寄ってきて、やりたいことができなくなるかも。

—— 私は真逆で一番自由なのは4番のホームレス。お金がない方が自由を手にしていると思う。

—— したいことがそれぞれ違う気がする。

したいことで考えると一人ずつ違う。時間に限りがない人を考えると、一番わからないのが妖精。妖精は死ぬのかな？　わからないけど、いつまでに何をしなきゃということに追われてない。

—— 自由にできることとできないことがあるから、全員どっちもある。

—— 基準がないから、誰がどうとは言えない。

—— 忙しい人はずーっと働いているみたいだけど、その仕事が好きなら傍から見て忙しくても本人にとっては意味が違うかも。

—— 妖精は住むところが違うし、こっちの世界だと死んでしまうかもしれないからよくわからない。

—— 鳥かな。やりたいことと、できることの満足度、実現度がそれぞれに違う。鳥はやりたいことが少ないから実現度が高い。金持ちはやりたいことがいっぱいあって、やりきれないことがたくさんある。王様は権限はあるけど、スケジュールがある。ホームレスは時間の制約がないけどお金がない。

—— でも、お腹が空いてても狩りが不得手な鳥だと、美味しいものが食べられない。優秀で狩りが得意な鳥だといいけど、不得手な鳥だと生きることが厳しいかも。

やりたいこと、自由、時間、お金、能力……。したいことを実現するにはたくさんの要素が絡まっていそうです。

てつがく対話を
てつがく対話で考える

考えるウォーミングアップをしたところで、今日のテーマ「てつがく対話って何？」に移ります。まずは志帆さんから、これまで犬てつでやってきたテーマについて確認します。

Q　犬てつはこれで三年目になるけど、これまでどんなてつがく対話をしてきたか、覚えている人いますか？

「戦争」「ウンコ」「お金」「時間」「ピカソの絵」「触る」「家族」と、リピーターのこどもたちは次々にテーマを挙げていきます。

「じゃあ、このてつがく対話とはどういうものかを、みんなと一緒に考えたいと思います。今日は鳥みたいにパタパタと視点を高くして、いつもより高いところからてつがく対話とは何かを考えたいと思います。でも、これまでいっぱいてつがく対話やってきたからわかるよね。」

という志帆さんの言葉があって、さあ、

いよいよてつがく対話についてのてつがく対話のスタートです。自分の今の状況を一つ上の視点から客観的にみるメタ的な思考について、志帆さんは鳥の例をだして小さいこどもにもイメージできるよう、わかりやすく説明します。まずはこんな意見がこどもから出てきました。

―― てつがく対話とは、これは何かとか学ぶところ。

Q 「学ぶ」とは、たとえばどういうこと？

―― 学ぶとは考えたりするところ。

―― てつがく対話はすごく身近な疑問をみんなで考えること。でも、答えはない。世界的なことではなく、身近なこと。

―― てつがく対話は、みんなが集まって、考えて、言い合う。

―― 身近だけど深い疑問。

Q 「深い」ってどういうこと？

この問いに頭をひねって答えられない様子のこどもに、志帆さんは「いいよ、ゆっくり考えて」と言葉をかけます。その間に別の子が発言します。

―― てつがく対話はみんなが集まって話すところだけど、答えがないことが話される。

Q 答えがあることは話しちゃだめなの？

―― 答えがあることだと、みんなわかっちゃうじゃん。答えがないことを話すの。

Q 「答え」って何？

―― 1+1=2とかは正解がある。答えがあると正解を言い合うところになっちゃう。

―― てつがく対話は必ず答えがないといけないんじゃなくて、みんなで意見を言い合って、本当にこうなのかな？と思うことを言う。自分の意見だけでなくみんなの意見を聞いて、こうかもしれないと思う。

―― 答えがないわけじゃなくて、一人ひとりの答えはある。でも、それは「正解」ではないかもしれない。

Q 答えがないというのと、答えはあるかもしれないという意見が出てきました。それについてどう思う？

―― 自分的な答えはあるけど、全体的な答えはわざと作らない。生活的に話す。日常の身近なもので何でだろうと問いをもつ。

―― さっきの「深い」の話だけど、対話することによって自分以外から出てくる答えが増えてくると、深さが深くなってくるのかな？　身近なことで、自分が気づかなかったことを気づかせてくれる場所。

Q　この「場所」には何があるから、気づかせてくれるんだろう？

―― 話を聴いたり、共感したりする。

―― 学校だと、自分がそうだと思っても認められないことがあるけど、てつがく対話だとみんなの意見が認められる。学校だと変わったことをいうと、変な目で見られないかなとか考えるとめんどくさくなるけど、てつがく対話は自分の意見を言えるからめんどくさくない。学校だと発言した後も、あの子はこんなことを言う子だって変な目で見られるかも。

身近な疑問について、話を聴いて、共感して、気がつかなかったことに気づき、自分の意見を認めてくれる場所。こどもたちはてつがく対話を、そんな場として認識しているようです。

「てつがく」と「対話」をわけて考えるとどうだろう

Q　今「てつがく対話」についていっぱいいろんな意見を出してくれたけど、今度は「てつがく」と「対話」をわけて考えてみるとどうだろう？　「てつがく」って何だろう？「対話」って何だろう？

―― 「てつがく」は言葉だと難しそうだけど、みんなの意見を話し合って考えること。

―― 学生時代は「てつがく」は哲学者が言ったことを学ぶことだと思っていた。「哲学者学」じゃなくてもいいなと思ってたところに、犬てつのてつがく対話に出会った。みんなで話すということだけじゃなくて、そうだよねと流れていきそうな話を「え、そうかな？」と問うようなことがあるのが「対話」。

―― 仕事の場で話すときは効率だったり、正解を見つけて話し合うけど、ここはそうじゃなくて平行線を辿ってもいい。ここは個人でいることができる場なのかな。

―― はじめのうちはテーマを予習してから来ていたけど、今はそれをやめた。復習した方が面白い。話すことで、より知識が増える。

―― 「てつがく」は難しいし、ここでやるテーマも考えてみると意外と難しい。ここでは大人もこどももみんなで「対話」してるけど、大人だけだと固い答えが出る。こどもだと面白い答えが出る。

Q　大人とこどもはどう違う？　どんな人が大人？

―― 大人はまじめな感じ。大人は難しいことを言ってる感じがするけど、こどもだとあり得ないことを言う。こどものあり得ない意見から、大人がそこからちゃんとした答えや考えを出して、そこで話し合う感じ。

Q　自分は大人だと思う？

―― 大人みたいな意見を言うときもあるし、面白い意見を言うときもある。

Q　大人とは何だろう？　こどもとは何だろう？

―― 年を重ねるにつれて、いろんなことがわかったり見えたりする。こどもの頃は自分で考えたりするけど、大人はわかっちゃったりする。こどもの方が発想が若い。

Q　若いって何？

―― うーん、それはちょっと……。

―― 柔らかい。

Q　大人は経験することでわかっちゃうから考えることをやめちゃう。こどもはわからないから考えるという意見が出たけどどう思う？

―― 大人でも考えるのをやめてない。合っていると思っていても合ってなかったり、こどもたちから教えてもらうこともあるから、案外こどもと大人は変わらないんじゃないか。こどもが思っているより大人はこども。こどもが想像の世界で大人を作っているんじゃないかな。

―― 大人はこどもが作り上げた言葉。犬てつだと大人じゃなくてもよくなる。こどものわくわくした気持ちを思いだして、社会のルールで作り上げられた大人らしさというぬいぐるみを着なくてもいい「対話」という空間ができている。脱ぎきれてもないかもしれないけど半分脱げる。暑苦しくないという感じ。

―― 学校だと大人っぽくきりっとしてるけど、ここではこどもっぽい意見も、大人もこどもも関係なく言っていい。

そんなとき、「てつがく」と「対話」の意味について考えつづけていたこどもが、こう言いました。

―― 「てつがく」には「意味」がない。ライオンは、ら、い、お、ん、という言葉ではなくて、ライオン。「対話」があると「意味」ができる。「てつがく」の「意味」はわかんないけど、「対話」がくっつくから「てつがく対話」としての「意味」をもつ。

この意見にはみんなびっくり。「てつがく」はそれ自体では意味がないものだけれども、「対話」によって意味が生まれるということでしょうか。「てつがくする（doing philosophy）」の本質を、言葉をたぐりよせながらつかみとろうとする現場に立ち会えたような時間です。

犬てつで経験した「てつがく」は わからないことを発見すること

さらに続けてこんな話も。

―― 犬てつの「犬山×こども×大人×てつがく×対話」には全部入ってる。

志帆さんはそれをかみ砕くようにしてさらに問いを投げかけます。

―― こどもって何か、大人って何かもわからないって話だったよね。「てつがく対話」のなかに、わかんないものがいっぱいくっついてるね。「てつがくする」ってどういうことだろう？ 「考える」って何だろうね？

―― よくわからないというのは、ここに来ないと気づけなかった。わかっていると思って見過ごしていることも、よくわからないと思うといろいろ見えてくる。よくわからないことを発見する場かな。こどもたちから気づかされる。

―― 「てつがく」はよくわからないけど、わからないことを知りたい欲はもともと誰にでも備わっている。「てつがく」はわからない面をもってるからこそ、いろんな人が集まってくる。「てつがく」は何かと決めなくていいし、わかんなくていい。

―― 自分の考えは一方的というか、割と一つという感じだったけど、いろんな人の意見を聞くと思考が広がる。人に影響されて自分の考えができてくるのだなと感じる場。人と生きていかないといけないなと思う。

―― 人には「てつがくしていい」という権利がある。てつがく対話をすると、相手がこういう考えじゃなかったんだとか、相手のことをより深く知れる。

―― 人間の脳細胞は生まれてから減っていくかわりに、神経細胞とかのつながりが増えて、特定の刺激にしか反応しないようになる。大人はパターン化した判断や行動ができるから、間違わずに早くできる。大人とこどもの違いはそこにあって、こどもは知能的な思考が単なる観念的なものでなく、生き物としての根拠に近い。こどもとはパターン化の逆をやるような対話ができる。そんな体験ができるこの場が好き。

—— こどもの頃はなんでもありだけど、そこには生きにくさや、わからなさがある。哲学者学や哲学史を学ぶことで、自分の考えがわかることもある一方で、一部が固まるような気もする。てつがく対話とかこどもがいる場は、自分のなかのまだ固まっていないところが刺激されたり、崩されたりする経験になる。

—— 「てつがく」ということのなかに、哲学者学とか哲学史があるって知らなかった。でも、そういうのを知った今も、「てつがく」はいろんなことを考えることだと思う。哲学者学とか哲学史は「てつがく」じゃないと思う。

それを聞いて、「その言葉、大学で哲学を教えている先生に伝えておく!」と志帆さん。時間が来たのでこれで終了となりました。

「てつがく」とは何を意味するかは知らなくても、犬てつでの経験をとおして、それがいろんなことを考えることだと知っているこどもたち。そして、そのこどもたちとの対話を通じて、これまで見過ごしていた言葉や出来事が含みもつ新たな意味に気づかされる大人たち。こどもとの対話は、柔らかさやひらめき、優しさに満ちている。そして、時にとてもシビアな問題を投げかけもする。他ではなかなか味わえないような体験を求めて、犬てつをこども以上に楽しみにして足しげく通っている大人もいます。

はじめに考えていたてつがく対話をめぐってのルールや自由の話にはなりませんでしたが、「てつがくするとはどういうことか?」の本質に迫るような対話になったように思います。「哲学」も「対話」も「てつがく対話」も、それぞれに考えだすととても難しいものだけれど、てつがく対話はみんなが集まり、身近だけど深い疑問を考えて話し合う、探求の共同体が生まれる場。そうしたことを改めて感じる場になったように思います。ご参加いただいたみなさま、ありがとうございました。

のがいておんっ！

と
つ
て
語
対
犬
く

犬てつコラボ企画　夏休みこどもカルチャー講座編

今回のテーマ　音で即興「聴く」てつがく対話

進行役：南谷洋策さん、安本志帆さん　2019.7.28.saturday

NPOこどもサポートクラブ東海さんが毎年夏に開催している「夏休みこどもカルチャー講座」。今年も犬てつが講座の一つを担当しました。南山大学人類学博物館で行って好評だった「触る」てつがく対話に引き続き、言葉だけではない五感にフォーカスした「聴く」てつがく対話です。昨年の開催から、一年ぶりに再会した参加者もいます。習っているバイオリンや、叩くといい音がする段ボールや、鈴、カリンバ、フルート、棒など、それぞれに「いい音がすると思うもの」を持ちよってもらいました。即興ワークショップを担当する洋策さんは、背丈以上もある大きなコントラバスを持ってきています。

前半は「音で即興」ワークショップ。聴こえない音も音の一つ

即興演奏をはじめる前に、洋策さんから「まずは音も声も出さずに、自然にある周りの音をよく聴こう」ということで、みんなが気持ちを落ち着かせて耳を澄ませます。そして、静かに説明がはじまります。

・一人ずつ自由に音を出していく。
・一人ひとり勝手に音を出すのではなく、一緒に協力して音の場を創る。
・偶然に出てしまった音もいい音と考える。
・自分が出した音も、人が出す音もよく聴く。

まずは一人ずつ、好きな楽器や道具を選んで即興演奏を披露します。最初のこどもは指ピアノとも呼ばれるカリンバを選びました。一音一音、ゆっくりと噛みしめるように聴きながら重ねられる音。みんなでその音に耳を澄ませます。途中、指がすべってずれた音がでましたが「失敗したと思った音も全部いい音、今のもとてもいい音だった」と洋策さん。次の子は犬てつリピーターですが、いつもとは違う場にとまどってか、かなり様子をうかがっています。自分の名前も口に出さないで、音も出さないと首を横に振りました。

「音を出さないという方法でいく？　聴くだけでも参加していることになるよ」ということで、その子は「聴く」ことを選びました。

次の子はバイオリン。習っている曲の一つを披露してくれました。途中、間違ったところもありますが、「間違ったところの手触りも、全部いい音」という言葉に促され、満足そうに一曲を弾き終えました。

次の子はマラカス。はじめは連続して横に振るだけだったのが、だんだんと抑揚や音の強弱をつけたりして、自分のやりたい表現をみつけていきます。終わった後に聴いてい

たこどもからこんな声が。「なんかマラカスで頭を叩かれているような感触になった」。

次の子は金属製の銅鑼が二枚あわさった鈴のようなものを選びます。でもなかなかはじめようとはせず、鈴を手に持ったまま、じっと耳を澄ましています。場のざわめきがだんだんと静まって、静寂がいきわたり「聴かれている」状態がおとずれるのを待ってから、ゆっくりと丁寧に一音を鳴らしました。そして、その音を聴いてから、次の音を重ね、こすりあわせ、打ち鳴らし、最後の余韻が消え入るまで、音の場に身を開いていました。

次はフルート。音階を下から上に上がっていきます。楽譜のある曲を吹くのではなく、自分の音を創ることに、まだ戸惑っている様子が断片的な音からもうかがえます。

次は段ボール箱とビー玉です。ビー玉が段ボールに落ちる音、ビー玉同士が当たる音。耳を澄ましているとちょうど廊下から誰かが話す声が漏れてきて、最後の一音がなかなか着地点を見いだせません。場のみんなもいつ終わりになるかと長い間合いが生まれるなか、演奏は終わりました。即興が一巡りして、洋策さんが感想を伝えます。

・音を聴くというのは集中力が必要なこと。
・音を聴くことに集中力をもっていくと、自分のことも忘れていくことがあるから、気持ちいいことがある。
・とにかく大事なことは、音を鳴らすことよりも人の声やその場の音をよく聴くこと。
・音を出す人が出しやすい状況を作ってあげる。つまり聴いてあげないと、その人はなかなか音が出せない。音はそれくらい繊細なもの。聴くことが即興演奏の場を創る。
・物理的にいうと、音は何かが少しでもこすれていたら鳴っているけど、波長によっては人間には聴こえていないだけのものもある。

それを聴いていたこどもがこう言います。「耳のそばで指をこすったら音が鳴る」。摩擦も音の一部として、認識しはじめた様子です。洋策さんは問いかけます。

Q　宇宙には何も音がないように思えるけど、電磁波とか波がうごめいている。もし、その音を人間が聴けたらどうなる?

―― やばい。耳が聴こえなくなる。

洋策さんは続けます。「そんななかに音が出てる。さっきの演奏も聴こえなかった音もあるけど、そんな音の一つだと思って聴くと、普段とは違う聴き方ができるかも」

ということで、次は洋策さんがコントラバスで即興演奏をはじめます。

まずは指で押さえない開放弦のままで、弓を使って一本の弦を弾きます。このコントラバスにはオーケストラで使われるような音をはっきりと響かせるスチール製ではない、羊の腸の一部を使うことで摩擦と雑音をたっぷり含んだ音の出るガット弦が使われています。弓と弦の摩擦によって一音を出し続けるなかに、人間の耳には音階としてはきちんと腑分けできない、複雑な波をもった「倍音」が生じます。弦にかける圧力を変えたり、摩擦を大きくしたり、ピッチや強弱を変えてみたり、一本の弦を弾くだけでも、様々な音が生みだされることがわかります。

音のおとずれを待つ。
終わりはいつ来る?

音にはいろんな幅があることを実感した上で、次はみんなで一緒に即興演奏に挑戦します。まずは二人にはじめてもらい、その音を聴きながら、後は各自がその音に呼応して参加するタイミングを自分で決めて即興に加わるという手順です。その前に即興演奏をする上でのいくつかの確認をします。

・音を出したくてうずうずしても、自分の音だけを出すのではなく、人の音もきちんと聴くこと。
・たくさん音が鳴りすぎて隙間がなくなると、音が入れなくなるから気をつける。
・音を出すのは自由だけど、先に鳴っている音のことはよく聴くこと。
・突然バンッと入っていくのではなく、様子をみながらまずは少しずつ。
・終わりがどうやっておとずれるかは、難しいけど取り決めはない。みんなが終わったと思ったときが終わり。
・もし即興に入れなかったら、そのまま音を鳴らさずに聴いて終わってもいい。それも場に参加していること。

「それでは、この場や自分のなかの音に耳を澄まして音が出てくるのを待ちましょう」ということで、みんなで音のおとずれを待ちながら即興演奏がはじまりました。

しばらくして、マラカスがゆっくりと振り下ろされました。次いで、やわらかな鈴の音、段ボールを軽く叩く音、バイオリンのゆらぐ音色、紙がくしゃくしゃにされる音。みんながそれぞれに音の場に参入し、大きな合奏がはじまります。そして、音がだんだんと小さくなり、音を出すのをやめる人も。次にどんな音を出そうかと、場の音を聴くなかで、静けさがまさってきてしばし独奏。すると、それまで様子をうかがっていたフルートが入ってきて、コントラバス、カリンバ、鈴、床を叩く木の棒と、次々に音が盛り上がり、またみんなが演奏をはじめます。しばらく大きな演奏があった後、次第に音が小さくなり、新たな音が生まれなくなる時間ができて、誰ももう音を出そうとはしなくなりました。

全部で10数分経ったでしょうか。「これで終わりでいいかな?」という洋策さんの問いかけに、それぞれがうなずきました。集中力がほぐれて、みんなほっと息をつきます。

Q　はじめて即興演奏をやってみてどうでしたか?

—— 激しくなったらみんな激しくなって、おとなしくなったらみんなおとなしくなった。

—— この楽器は暗い音がするから弾きはじめたら演奏も暗くなって、やめたら明るくなった。

—— いろんな音が混ざり合って、自分でも何をやっているかわからなくなった。

—— 音が混ざるときれいな音になると思った。

—— 終わりが果てしなかった。自分が終わると思ったときにみんながまだやっているから、そこに自分が入るとまたはじまっちゃう。

Q　どうして終わらないんだろう?　何ではじまるんだろう?

—— みんながずれてるからなかなか終わらない。

—— 終わったかと思ったんだけど、また音が出てきた。

—— 終わりそうだなと思ったけど、まだちょっと鳴ってたから自分としては終わってなかった。

—— 音がもう終わるかなというタイミングでまた次の音が出てくるから、音がつながるような形でなかなか終わらなかった。

—— 自分がどこで入っていいのか全然わからなかった。音階でしか音楽を作ったことがなかったので、音階がない時点で自分がどういった音を出していいかわからなかった。フルートはある一定の息を入れないと音が出ないけど、それが結構大きな音なので、その大きな音を出す勇気もなくて、はじめは音すら出せなかった。

—— 自分では終わりかなと思って終わっ

てみたけど、まだ終わらなかった。音がない状態もみんな楽しんでいる感じがあって、終わりって何かなって思った。

—— 終わりは終わりかけても終わらなくて、最後の終わりはもうちょっと余韻を楽しみたかったけど、はい終わりって言われた。でも、あれで終わりと言われなければまたはじまっていたかもと思った。

—— どこまでいけるんだろう?って思った。

音の絶え間のない連鎖のなかで「終わり」はどこにあるのか?というとても難しい問題に、みなが頭をひねります。洋策さんはこれまで即興演奏をやってきた自分の体験からこう語ります。

—— 途中でなんとなく惰性になっていくところがあるけど、即興音楽は緊張感を保つことが大事。緊張感が何でできているかというと、音が鳴らされていない状態の音と音の「間(ま)」にある。日本の能楽でも小鼓をポンっ、ポンってやるときに、その「間」が大事。だから音を出すときに、よく耳を澄まして、いつどこで出すかというのをもうちょっと意識するのも大事。他の人の音をよく聴いて、丁寧に音を出すことを意識して、音を通じてみんなでいい状態を創ることをまずはやってみよう。

音に対する感覚が研ぎ澄まされ 音の場が拡張していく

そこに「即興演奏のなかで曲を弾いてもいいの?」という質問が挙がりました。「弾いてもいいけど、その曲を弾いてもいいかどうかも自分で判断すること」ということで、二回目の即興演奏に挑戦です。

こすれる音、叩かれる音、息を使った音、落下する音、金属の音、木と木が当たる音、木とカーペットが当たる音、段ボールとガラスが当たる音、紙がこすれる音、引き延ばされる音、断続的な音、連続的な音、はじける音、突発的な音。

今度は一回目よりもさらに何の音か、どういう素材から生み出される音か、どういう状態の音か、どういうテンポかといったところにまで意識が向けられたような、繊細な音が響いています。盛り上がり、緩急があって、盛り上がり、緩急があって、そうした局面が何度か作られたあと、場は自然と静かになっていきます。そこに、静寂と終わりを待ちきれなくなったこどもたちがこんな声を重ねます。

「終わり?　終わる?」「これって音が鳴らなくなるまで終わらないじゃん!　外の音とかなくならないし、やばいんじゃない!?」

音に対する感覚が研ぎ澄まされると、音の場もどんどんと拡張し、なかの人だけが出す音でなく、外から聴こえる声も、機械の動作音もすべてがその場の音に含まれるようになる。繊細に感受され、外に開かれた音の場においては、終わりがおとずれることはない。そのことを敏感に察知した子がおののきの声をあげ、それに促されるようにして、ようやく「終わり」がやってきました。

Q　二回目をやってみた感想はどうだった？一回目とはどう違った？

—— 音を音階としてとらえようとしたらやりやすくなって、エアコンの音も音階になって聴こえはじめたけど、それが音階でなくなった瞬間があった。

—— 最初と比べて、自分が使う楽器が多くなったり、違う使い方をするようになった。

—— 私は逆に使う楽器が狭まった。他の楽器よりも、響く音がきれいな楽器が好きだったから、そればっかり使った。

—— 何が違うのかうまくは言えないけど、最初と比べて二回目の方がよかった。

—— 隣の部屋のおじさんの声が聴こえなくならないと終わらないと思った。

Q　さっき「終わり？」って聴いたら「うん」って言ったよね。何でそう思った？　終わりってどこにあると思う？

—— ずっとやっていると音は永遠に鳴り続けているから、このままいくと終わらないと思った。クーラーの音も動いているし、外にいる周りの生き物も動いているし、隣の部屋の人も動いて、音が鳴ってるし、廊下を歩いている人の足音も音が鳴ってる。

—— 夜も終わらない。

Q　じゃあ、終わりってどこにあるんだろう？

—— 地球の終わり。超新星爆発。

Q　じゃあ、音のはじまりはどこにある？

—— 小さな隕石がぶつかって……。

Q　なるほど。周りの音は聴こえてた？自分の音だけ聴いていると、周りの音が聴こえなくなるよね。そうすると音が閉じて、終わりがわからなくなる。

—— 音が止まると他の音が耳に入ってくる。

—— わからなくなったときに、ちょっと立ち止まって他の音を聴いているとわかるようになる。それを何回もやっていると、もっとどんどんわかるようになってくる。自分はこうだという音だけ出していると周りが聴こえなくなる。それは話すときもそうで、自分の意見だけを言っていると、周りのことがわからなくなる。周りがそれをどう聴いているかを考えるきっかけにもなる。

—— 一回目よりは無駄な音が出なくなった。座ってやっていると周りの音がわからなくなるから、立ったりしてた。

—— 音が均質になってくると、お菓子の袋をしゃかしゃかしはじめた人がいて、そうした異質な音が欲しくなる気持ちが共有できた。

終わりとはじまりはどこにあるのか？といった重要な問いも出てきて、すでに後半でやる予定だったてつがく対話のようになっています。ということで、前半のワークショップはここで一旦終了。休憩中には、さっきの即興演奏の一回目の録音をみんなで聴いてみました。

後半は「聴く」てつがく対話。即興って自然に似ているかも

後半は進行役を志帆さんに交代して、「聴く」てつがく対話の時間です。洋策さんはてつがく対話ははじめてなので、まずはてつがく対話のルールをみんなに説明してもらい、呼ばれたい名前と、前半の感想を一人ずつ話すことからスタートします。

—— 習っているピアノでは楽譜とか弾かないといけないけど、さっきのはそのまんまの音を出していい。

—— みんなが勝手にやってると思ってたけど、録音を聴くとみんなで一つになってたから、みんなが合わせてたんだなって思った。

—— 自由に弾けて楽しかった。

—— 意外とみんなが恥ずかしがらずに音を出していてびっくりした。自分の音を出すという意識がなくなって、場の音を聴いて出すようになると恥ずかしくなくなった。

—— 即興が成り立っていると思った。くだらないことをやっている気持ちもあるけど、そういう気持ちに陥らないような感じだった。音に支えられているというか、みんな自然にやっていたのが印象に残った。恥ずかしいのも自然のうちだった。それぞれの自然が溶け合ったり、ぶつかったり、交差しなかったり、

全部が自然な感じ。人間にとっての音と、大きな意識としての自然の違いを考えた。

—— 即興って自然に似ている。いろんな音が出るけど、森のなかとか、自然のものかなと思った。家族で即興をやるときは恥ずかしくなくて、自分の思った音が出せて心が合わさるけど、この場だとずっと一緒にいる人とやるわけじゃないから、まだわからないというか。家族とだと自分の気持ちが伝わるから、それにどう反応してやるかまで考えられる。

—— 音と気持ちが混ざり合っているような気持ちがした。音が気持ちと同じようなスピードだった。

Q　気持ちにはスピードがあるの？

—— うん。音が気持ちになってる気がした。

Q　音が気持ちになるんだね。逆に気持ちは音になることある？

—— うん。

—— 小さいときからピアノを長い間やっていたので、音はテンポも抑揚も指示されたものを記号に忠実に正確に弾くことだと思ってた。それが表現するところにまでは行きつかず、技術の練習でしかなかった。楽譜に忠実にやることが音楽だと思ってたので、即興をやるのはかなり難しかった。身体を使うことの難しさ。いかに頭を使って日々過ごしているかを如実に感じた。身体をもっと使いたいと思った。

—— 好きなときに音を出していいんだ、音を選んでいいんだという衝撃があった。音楽とはこういうものだ、音を奏でるとはこういうものという思い込みとの違いが衝撃的だった。頭ではわかっていたけど、本当にはわかっていなかった。

—— 楽器を触るというのは、その楽器の良さを引き出すことで、その楽器の特性を知るためには練習も必要。楽器の種類によって音の自由さ、幅が違う。コントラバスはフレットもないので、曖昧さがある。その特性をわかった上で音を出すと、微妙な音が出せたりする。西洋音楽がすべてではないけど、音の本質的な良さを出すためには練習も必要で、それと自由に弾くというのは、まったく違うようでいてどこかで通じている。束縛があっての自由だから、即興演奏を深めていくと勝手に好きなことをやっていいわけではなくて、音がどういう風にその楽器から出ているかとか、自分は何者なのかとか考えて総合的にできるようになると、人にとってもいい演奏だったと感じられるものになる。即興演奏は自由に演奏することでもあるけど、ハードルをなくすことでダラダラになるものではなくて、自由になることでもっと深いところを目指そうとするところに醍醐味がある。

―― ルールがあるなかでの自由というのは、てつがく対話のルールにも似ているところがある。ルールとか決まりとか、決まりで枠をくくるからそのなかで自由に話せるというのがあって、それは大事なことなんだなとまた改めて思った。

風の音も、身体の音も、すべてがその場に存在している

感想を話した後で、次に二回目の演奏の録音を聴いてみます。

Q　二回目の演奏を聴いてどうだった？

―― 水を出したり家事の音に聴こえる。

―― 録音した方がきちんとしたものに聴こえる。演奏しているときは何がなんだかわからなくなるけど、録音を聴いてると全体の音がわかる。最初の方は大事件が起きたり、大混乱がある感じ。

―― 音とか気持ちにスピードがあるという話があったけど、録音を聴いていると誰もテンポとか決めてないけど、速くなったり遅くなったり緩急があった。みんなでそれを創った気がした。

―― みんながゆっくりなときに一人だけわーわーやるのも、今思えばいいなと思える。みんなで合わせても違うもの。速さがゆっくりになると、音も小さくなる。

Q　ゆっくりになると音も小さくなるというのは、みんながみんなの音を聴いてたということだと思うけど、それをふまえて「聴く」とはどういうことだと思いますか？音はどこで聴いているんだろう？

―― 全身で聴いている。

―― 音は波だから耳だけじゃなくて、心臓で鳴らして聴いたようだった。

―― ピアノとかの一つの音だけだったら、日常の音に聴こえないかもしれないけど、いろんな楽器でいろんな音が合わさると日常の音に聴こえる。

―― 聴き覚えのある音だと、似た音を聴いたときに身体がその音だと思って、どんどんそれに似た音が頭のなかに湧いてくる。

Q　話を聴くというのとはまた違った感じ？

―― 話を聴くと絵とかを想像できるけど、音は絵とかは想像しにくい。ただ聴くという言葉じゃなくて、複雑な感じ。

Q　それは何と何が絡み合って複雑なんだろう？　前に音には色があるって言ってたけど、今日の音には色はあった？

―― あったと思う。

Q いつもの色と違いはあった？　こういう音は温かいとかあると思うけど、今日のはどう？

―― いつもの色とは違った。いつも聴いてる音は音色や強弱が決まっていて、楽しそうな色とかがわかるけど、即興はすべて自由だから、決まった色もない。生活音が聴こえるといったときは、茶色っぽい色がした。

―― 音から水が流れる音とかが想像されたら、そこから色を想像するけど、そういう音がなかったら、色は想像されない。

昨年の「アートでてつがく対話」では、マチスの絵をみながら音が聴こえるといっていたこどもたち。音を聴きながら色を想像することができるかについて、話がどんどんと膨らんでいきます。これからもっと面白くなりそうでしたが、そこはいつもと同じ終わり方。時間がきたのでこれで終了となりました。

午後の部は午前とはまた違って、即興演奏だけのワークショップを行いました。終わるたびに「もう一回やろう」のリクエストが続き、集中し切って演奏を重ねるなか、終わるやいなや眠りはじめてしまう参加者も出るほどでした。

音で対話する即興演奏は、一見むずかしそうに思えるかもしれませんが、音楽とはこういうものという固定観念がまだないこどもたちは、意外とすんなりと身体を開いて、音を聴き、音を出し、数十分間も集中力を持続させながら、この場ならではの即興の空間を楽しんでいるようでした。

普段なら雑音と感じられる音も、床と触れ合う摩擦音も、窓打つ風の音も、声も、息も、身体の音も、音に聴き入る沈黙ですら、すべてがその場に存在している。なかなか言葉にしづらい感覚ではありますが、聴き、聴かれて、ともに場を創造する。「対話」の根本を肌身で感じ取れるような、そんな場が生まれたように思います。ご参加いただいたみなさま、ありがとうございました。

感覚を広げてみて。
楽器の音だけじゃない。
風の音、息づかい、身体の音、
遠くで聴こえる誰かの話し声、
音に聴き入る沈黙ですら
全部この場に存在してる。

6 今回のテーマ 言っていいことと悪いことの違いって何？

進行役：安本志帆さん　　2019.9.7.saturday

夏休みがあけて初の犬てつですが、市内のいろんなイベントが重なって久々の少人数。さらに今回はいつもの座敷とは違う椅子席で、じっくりとした対話ができそうな予感がします。

今日のテーマ「言っていいことと悪いことの違いって何？」は、名古屋を中心に三年に一回開催されている、国際芸術祭「あいちトリエンナーレ」の展示の一部である「表現の不自由展・その後」が、展示物に対する抗議や脅迫によって、開催からわずか三日間で展示中止になった事件を受けて決めたものです。

「表現」も「自由」も「検閲」も、こどもたちと話すにはちょっと固い。もっと日常の言葉に置き換えてということで「言っていいことと悪いこと」のテーマを志帆さんと考えました。

褒めると叱るは「呼ぶ」という点で一致していて、何かが逆

最初に「夏休みの宿題はあった方がいいか、ない方がいいか」についての簡単な質問タイムで口ほぐしをした後に、対話に移ります。

Q　言っていいことと悪いことの違いって何？

―― 言われた人がいい気持ちになったらいいこと。言われた人がどう思うかが重要。

―― 誉め言葉をいろんな人に言い過ぎて、言われた人がみんな舞い上がってしまったらよくないんじゃないか。たとえば、男性が女性にかわいいねと言って、有頂天になられるとトラブルの元。

Q　それはさっきの受け止め側が決めるんじゃないか、という発言とリンクしてますか？

―― 褒めたつもりで言っても相手に気づかれなかったり、褒めたつもりでなくても相手が喜ぶこともある。

すると、こんな質問が飛びだしてきました。

―― 褒めると叱るの違いは何？

Q　それは何でその質問が出てきた？何に引っ掛かってそう思った？

―― 褒めるって、いいことをやったと思っていても、やれてなくて叱られることもある。なんか褒めると叱るの関係に似ている。

Q　もうちょっと詳しく教えて。そこに考えたいことがいっぱい詰まっているような気がする。どうして、褒めると叱るの言葉が頭に浮かんだの？

その子は一所懸命、言葉を手繰り寄せるようにして少しずつ話します。

―― 褒められるに対して叱られるは、ほとんど違うけど、褒めるとは行動が反対なだけで……。たとえば、褒めるは「呼ぶ」でしょ、褒めるでしょ。叱るは「呼ぶ」でしょ、怒るでしょ。「呼ぶ」のは同じで、逆なだけじゃん。

褒めると叱るは「呼ぶ」という点において一致していて、何かが逆。その子は何か重要なポイントをつかんでいるようですが、なかなかそれを言葉にするのが追いつかない様子です。それに別の子がこんな助け船をだします。

―― 親がこどもを叱るのって、こどものためを思って叱ってる。それと関係があるかも。

この意見はかなり伝えたいポイントに近かったようで、こんな言葉が引きだされます。

―― こどものためだと思って怒っても、こどもは逆に嫌なだけじゃん。怒られているときって相手と逆のことを考えてる。「褒める」ときは嬉しいという思いの意味が一緒だけど、叱られるときは逆。つまり、褒められるときは感情が一緒だけど、叱られるときは感情が違う。

さっきの「逆」という発言は、感情の食い違いを指していたようです。言いたいことがだいぶクリアになってきたところで、別の人からこんな意見がでてきました。

―― 今、「褒める」は感情が同じといったけど、私は褒められたときに嫌な気分になるときがよくある。相手が褒めているつもりの言葉、たとえば「頭がいいね」とか言われたときに嫌な気分になる。逆に叱られた方が、怒られていることがわかるから感情が一致する。

―― 最近、知り合いに思い切ったことをするから励ましてほしいと言われて「楽しみにしている」と言ったら、逆に気分を害された。自分が嫌なことに挑戦しようとしているのに、それを楽しみだと言われるのはちょっと嫌だというようなことだった。肯定的な言葉でも、受け取り手によって嫌な言葉になったりそうでなかったりする。

―― 褒められ慣れている人はたまには

叱ってほしいと思ってるかも。褒める、叱るじゃなくて、ちょっと放っておいてほしいという思いもあるかも。

―― 震災のときに他所の人に「頑張れ」と言われるのが、被災者にとってはこれ以上頑張れというのかと辛い言葉に聞こえたという話がある。こちらがどういう気持ちで言ってたとしても、受け取る側がどういう気持ちになるかはわかりきらないもの。ある程度想像できるところもあるけど、震災とか、お悔みとか、想像しきれないものもあるということを考えておかないといけない。

―― 尊敬する人に叱られた場合は、認めてもらえているからこそ叱ってくれていると思える。何も言われなくなったら逆に不安になるとか。その人との関係性も大きい。

―― 第三者に相談して、こう叱った方がいいとかのアドバイスももらえる。二人だけで完結しているわけでなく、第三者が入るといいのかも。

Q　第三者は受け取り方が違うのかな？人が増えた方が客観的にわかるのかな？

―― たとえば自分が叱られていて、他の人が相手をひどいねと言うことがあっても、自分ではその叱られている内容がとても理解できることがある。だからやっぱり第三者よりも相手との関係性が大事だと思う。

叱るも褒めるも受け取った側の気持ち次第

叱ると褒めるについてのいろんな話が出てきたところで、志帆さんはもう一度さっきの発言をしたこどもに尋ねます。

Q　みんなも叱ると褒めるにはなんか関係がありそうって考えているみたいだね。さっき褒められても嫌な気もちがするって逆の話がでてきたけど、それについてはどう思う？

―― 叱られたり褒められたりする人の、思う感情の違いだから逆は逆でいい。

Q　褒められると思うのはどういう時？

―― 偉いねとか。言葉だとわかる。

Q　じゃあ、たとえば叱る時はどういう言葉が叱ることになる？　ダメでしょ、は叱る？叱るためには誰かのためを思ってるの？

―― うん。相手の夢とかを叶えるためには、これをやらないとダメとか。こどもがそれで困らないようにと思ってるけど、こどもとしては嫌なことしか思わない。

―― Kくんが私のことをくすぐって、Kくんのお母さんがKくんを叱るときは、私のことを思って叱ってる。

Q　それは何で叱ってるのかな？

—— 嫌だって言ったから叱ってる。

Q　じゃあ、やっぱり受け取り手なのかな。

—— 褒められて嫌な気持ちになったり、叱られていい気持ちになったりとかは、声のトーンとか、誰が誰をという立場がある。自分のこどもを叱ってもいいけど、他のこどもを叱るのはなかなか難しいことがある。その人との関係性が重要。

—— 身内は叱る。

Q　叱るか叱らないかは、関係の近さが関係しているってことかな？

—— 身内だから叱れるかというと、そうでもないと思う。お父さんとお母さんに同じように叱られたとき、お父さんからだと聞けるけど、お母さんからだと腹が立つとかがある。身内だから叱れるわけでも、身内の言うことだから受け止められるわけでもない。

Q　さっきYくんが言ったのは、相手が嬉しいことは言っていいということだと思うんだけど、相手が嫌かな？って思うことは言わない方がいいこと？　それについてどう思う？

—— どうしても言わなきゃいけない言葉と言わなくていい言葉がある。言わなきゃいけないことは言う側の判断。

Q　判断する、選ぶっていうのは、いいか悪いかの「正しさ」の判断があるから選ぶんだよね。「正しさ」の基準はどこにあるんだろう？　みんなは何を基準にしているんだろう？

—— 自分の気持ち。

Q　気持ちが嬉しくなったり、悲しくなったり、怒ったりとか、何によってそれが生まれるんだと思う？　さっき気持ちはわからないけど、言葉はわかるって意見もあったよね。でも「偉いね」は褒められたと思える人と、嫌な気持ちになる人もいる。同じ言葉なのに、違うようにとられることがある。そこにあるものは何なんだろう？

—— プラスのことを伝えたいのに、相手がマイナスにとらえるのはいい言葉じゃない。

—— さっきの発言の補足だけど、「偉い

ね」と言われて嫌な気持ちがするときは、その人が褒めているということはわかる。けなしているとは思わない。「偉いね」の言葉は誉め言葉だとわかっているけど、その背後にある何かを受け取って嫌な気持ちがする。

―― 自分が言いたいから言うのか、相手が言ってほしいから言うのか、両方のバランスが大事。頑張れとか、偉いねとか言われて嫌と思うのは、本当は言ってほしいことがあるのに、それでないから嫌なのかな。

――「褒められ疲れる」っていうのがあるかも。

――「頑張れ」という言葉にも「励まされ疲れる」とかがあるかも。

――「偉いね」という言葉で嫌な気持ちがするのは、「褒められ疲れる」に近いものかも。でも、疲れるだけではなく、この人はそうは言ってるものの、本当にはそう思っているわけではないということを経験的に感じることが多いから。「頑張れ」というのも本当に頑張ってほしいというよりは、そう言うことで自分が何かやっているつもりになっているだけだったり、自分とあなたは違うという線引きが透けて見えたりすることもある。

Q　相手が言ったことを言葉通り受け取るんじゃなくて、背景にある気持ちが見えると嬉しかったり嬉しくなかったりするということ?

―― 褒めることによって相手を疲れさせているのだから、褒めるという素直な感情だけではない違う意図が入っているのかな。

―― 褒めると叱るが似ているというのはわかる気がする。両方ちょっと上から見ている言葉かな。判断されている感じ。

―― 逆に、判断もされてないというか、無意識の差別にもつながっている感じがする。その人のことを本当には知りたいとも思っていなくて、手近な言葉を簡単に当てはめて区別している向きもある。

―― 条件が二つあって、まず心がこもっているかということと、相手の事情を考えた上での発言かどうかという、両方の条件がそろうことが必要。

言葉にはプラスのイメージもマイナスのイメージもどちらもある

Q　でも、言った本人が心をこめたと思っても、そう伝わらないときはどうすればいいんだろう?　その両方が一致しないといい言葉ではないかな、というのが見えてきたことだけど、その判断の基準はどこにある?

―― たとえばガンの末期患者の方が言

っていたことなのだけど、みんなお見舞いに善意で来てくれて頑張ってねと言って帰る。最初は良かったけど度重なってくると、これ以上頑張れというのかと泣いて嫌になるくらいの言葉になった。死を前にした人に寄り添っているというよりは、頑張ってねと言うことで何か言ったつもりになっていないか？　私は健康だけどあなたは病気だという線引きがそこにあるのではないか？　SNSで見かけるお見舞い後の感想に、自分も気をつけなきゃ、予防しよう、検診しようという言葉には、ああならないでおこうという気持ちが透けてみえる。

―― そういう話を聞くと自分の言葉選びがわからなくなってくる。相手が嫌だと思うことを、自分が100％言わないとは言えない。傷つけるかもしれないと思いつつ話すと、言葉選びが難しくなる。

―― こういうときにはこういう言葉というマニュアルがあるのか、その時々の具体的な場面によって考えることなのかよくわからない。言葉選びが完全に状況依存的になっていると、それをやるのは神業。

―― 神業じゃないと迂闊に何も言えない。受け取り手によって違うとか、言葉は曖昧で信用できないものだと思っていたけど、さっきKくんが言葉を記号としてとらえていて、記号をどうチョイスし、感じるかは私たち人間が行っていることで、言葉が曖昧なわけではないということを聞いて、ここ何か月間考えていたことがくつがえされた感じがする。

―― Kくんにとって、自分がやったことが褒められるか叱られるかはあまり関係のないことかな。言葉は記号にすぎなくて、自分がやったことがいいか悪いかはどっちでもいい。褒められるか叱られるかはそれに反応した結果であって、言葉の内容ではなく、呼ばれるということ？　自分がやったことに反応して、ボタンを押したらでてきたくらいのことで、人によっても違う。

―― 同じ人と継続して話をしていると、この人はこういうつもりで言っていると推測できるようになる。その人とその人との関係史が関わってくる。

―― 叱るも褒めるも内容ではなく、「呼ぶ」というアクションとして見るのはとても本質的。たとえば困っている人には、内容

よりもまずは呼びかけるという行為が第一歩になるかも。でも、その言葉のチョイスは大事。

―― 言っていい言葉と悪い言葉とかに分類しちゃいけない。言葉にはプラスのイメージもマイナスのイメージもどちらもある。

―― 言っていい、悪いという言葉には、正しい、間違っているという物差しのほかに、その場に適切、不適切という物差しがある。その物差しを誰が何で決めるかには、差別、攻撃、いじめとか、言われた方の気持ちを基準にすることもある。でも、韓国や中国に対するヘイト発言や女性差別とかを見たときに、攻撃する側が被害者意識からやっているという場合もある。弱い立場からの抗議はいいという基準が揺らいでしまうときに何も言えなくなる。そういうときに宗教とか基準が決まっているものがあると、お互いに楽なのかもしれない。人が死ぬのも神様が決めた寿命に従っているだけなら、いい悪いもない。そういう基準もあるのかなと思ったけど、今日も刺激が強すぎて最後まで何も言えなかった……。

というところで時間がきて終了です。「いい悪いは受け取った側の気持ち」「褒めるも叱るも「呼ぶ」という行為においては同じこと」という、二人のこどもが最初から主張しつづけ、他の意見を聞いてもほとんど揺らぐことのなかった考えに導かれながら、さらに問いを吟味していくなかで、言葉とイメージ、意味、言葉の背後のメッセージといった様々な問題が浮上してきました。

最後に出てきた「言っていい言葉と悪い言葉とかに分類しちゃいけない。言葉にはプラスのイメージもマイナスのイメージもどちらもある」という言葉は、「表現の不自由展・その後」への批判に対する応答にもなっていると思います。多様な読み取り可能性に開かれた作品は、一義的な意味だけに押し込めるべきではない。でも、ある表象によって差別されたと感じる人がいる場合、私たちはそれにどう対応していけばいいのだろうか。とても現代的な問題に開かれた、難しいテーマだと思います。それを少しずつ解きほぐしていくために、表面的な事象への応答に終始するのではない、こうした本質を探ろうとする対話の場は重要な意味をもつでしょう。

そして最後に、こどもから出てきたこの「呼びかけ」の概念は、哲学者のベルクソン、レヴィナス、ドゥルーズなども問い続けたテーマでもありました。こどもは小さな哲学者という言葉が身をもって感じられます。ご参加いただいたみなさま、ありがとうございました。

わたしたちから出る言葉たちは、
誰かへの呼びかけなのか？

7 アートでてつがく対話 part 3

進行役:安本志帆さん　2019.10.5.saturday

秋晴れの爽やかな日となりました。秋の恒例、犬てつ「アートでてつがく対話」です。cuu designさんに作ってもらった素敵なちらしを、今年も犬山市全小学校に配布しました。

新しい参加者もたくさんいるので、最初にリピーターのこどもたちに「ボールを持った人が話す」「違う意見も言っていい」「話している人のことを聴く」「聞こえると聴くは違う」「話したい気持ちにならなければ話さなくてもいい」など、てつがく対話のルールを出してもらって確認します。そして、はじめての参加者が犬てつの自由なスタイルに戸惑わないよう、犬てつは学校とは違って我慢して座っていなくてもいい、どこの場でも考えていれば参加している、押し入れから参加するのもOKにしているということを、進行役の志帆さんが伝えます。

動きそうな絵と死んでる感じがする絵がある

「秋といえば○○」のお題と、呼んでもらいたい名前を話してもらった後、いよいよ絵のお披露目です。箱から絵を取りだしている際中にも、こどもたちは身をのりだして興味深々。

―― じゃあ、まずはじーっと作品を見て、後でみんなで何を考えたか話し合おう。ただ、これは誰が描いたとか、この絵が描かれた詳しい状況とかは、後で配るお土産カードに書いてあるので、そういうのじゃない話をします。二枚あるからじっくり見比べてもいいかもね。

志帆さんの声にうながされ、みんなでじっくり三分ほど二枚の絵を見ます。その間にもこんな声が聞こえてきます。

―― これ、ひまわり?

―― 二つ月がある?

―― 太陽と月?　明るいのが二つある。

―― 色使いが同じ。

―― 一本一本丁寧にやった感じ。

みんなでじっくり見たあとで、「じゃあ、

この絵を見ながら感じたことを聞かせてください」と、対話スタートです。たくさんの手があがるなかこどもからの提案で、二枚あるうちの右側を1番、左側を2番とすることになりました。

―― 1番の絵の人が動きそうで、ちょっと怖い。

―― 1番は動きそうなのに、2番の絵は死んでる感じがする。人の顔とかが死んでる感じがする。

Q　何でそういう風に感じたのかな?

―― 1番は表情があるけど、2番は表情がない。顔はあるけど、眼とかがないから死んでる感じに見える。

―― 1番が生きてるって言ったけど、私には生きてるけど枯れている土地というか、生きていても寂しそう。地面が枯れている。2番の方は3人くらい人がいるけど、1番は人も一人しかいない。

Q　どこが枯れている感じがしたの?

―― 地面の色とか。2番は緑とかちょっと茶色が混じっていたりするけど、1番は紫とか不自然な色。

―― 1番は枯れているというより、お花畑に見えた。近くだとそんな感じはしないけど、離れて見ると小さい花がばーっと咲いているような気がした。

―― さっきの意見とは反対で、枯れているというか、夜明けか太陽が沈んでいる感じ。暗くなっているからそんな風に見える。

―― 1番の絵は見ていると落ち着くけど、2番は見ていると不安をかきたてられて、落ち着かない気分になる。

Q　それはどうしてですか?

―― 1番は見たことがある光景。構図的にも水平線があって落ち着いているし、田んぼの風景だとわかる。夕日かなと思ったので、一日のなかでもこれから夜で、一年のなかでも刈り入れ時かと思うことができる。でも、2番は月と太陽が同時に見えていたり、月か太陽なのかわからなかったり不安になる。道路みたいだけど川にも見えるし何だろうとか。家もグニャッとしていたりとか、とにかく見ていて落ち着かない、不安になる。1番はいい絵だなと思うけど、2番は見たくないのに目が離せない感じ。

志帆さんはそれを聞いてこう言葉を補います。

―― 今までは色とか絵の感じで意見を

言ってくれる人が多かったけど、今は自分が見てどう思うのか、不安だという意見が出ましたね。

―― 1番は花びらが貼り付けられているみたい。みんなが太陽と言ってるのも、ひまわりとか丸いボールや元気な花のように見える。下の方は夢の島にあるゴミの山みたい。仕事を終えて笑顔でほっとしてる人が、太陽に背中を押されて帰っているような気がする。

Q　これは太陽に見えるんですか？

―― 僕にとって太陽とひまわりは一緒。太陽を描くときみんな丸を描くけど、花を描くときも同じで、ひまわりは色も似ている。2番は夜の空に何かわからない大きな目のようなものがあって、こちらを見ているような不安がある。

―― 道がでこぼこに見える。太陽の隣にもう一つ星が見える。上が暗いかちょっと夜。夕焼けもあるから夜のちょっと前。

Q　夜のちょっと前っていうのはどこで感じた？

―― 星が見えてるここら辺。太陽よりこっちの方が暗い。あと、どっちの絵にも麦が描かれているという共通点がある。

―― 2番は不安に見えると言ったけど、私には星が小さいのにあんなに輝いているので、不安というよりは寒い感じに見える。下の方は雪が降った後の夜に見える。寒そうななか、暖かいお家に頑張って歩いているのかなって。1番は歩きにくそうだけど、仕事が終わって帰る感じがある。

―― 共通点を考えると、季節が一緒かなと思う。次に違いは何かと思うと、人と景色に違いがある。1番は人がぐにゃぐにゃしていて動きを感じる。2番は人が冷たく感じるというか動いてない感じ。でも、景色の方はぐにゃぐにゃ動いているようで、視点が変わるというか。人が疲れているとか感情が伝わりやすいのは1番で、2番の方は夜とか空とか空気とか、そういうのを感じやすくなるような……、景色が動いている。

―― 2番は冬で、1番は夏だと思う。2番は山みたいなところに雪があるように見える。1番は人が種を撒いているみたい。

Q 春じゃなくて夏だと思った？　春にも種を撒くじゃない？

―― 太陽が暑そうだから。

―― 2番の後ろの青いのは海に見えたから夏だと思った。ぐにゃぐにゃしたのは風だと思った。風で揺れている感じ。人が死んでいるみたいで怖いけど、なかの人も怖いんじゃないか。海があって、川みたいなぐにゃぐにゃしたところを歩いている。絵のなかの人も怖がってる。

絵のなかの人も怖がっているという意見は、昨年のピカソの絵での対話にも通じています。そこでは「絵を見る人が恥ずかしいと思うのか、絵のなかの人が恥ずかしいと思っているのかどっち？」という問いがでてきました。見る側の気持ちだけでなく、描かれている側の気持ちを配慮する視点がそこにはあります。

「感じる」ことはできても、断定的なことは言えない

みんなは次々と絵を見た感想を言い合います。自分がなぜそう思ったかの理由もつけながら、人によって同じだったり違ったりするいろんな見方を楽しんでいるようです。

―― 2番の白いところは木に雪が積もったみたいな感じで、冬のちょっと後くらいの夜で、1番は冬の夕方くらい。冬なのは人が長袖を着ているからで、夕方なのはもうちょっとで寒くなるから早くお家に帰ろうと思ってるから。

―― 海みたいと言ったところは、寒くて凍っている湖に見える。前の帰っている人がスキーっぽい道具をもってるかなって思ったし、道がぐにゃぐにゃしているのもスキーの道みたい。すごい雪が降った次の日の夜だと思った。

―― 2番は横から水がじゃーっと流れている感じ。山の上の方から流れてきている水。冬の終わりの夕方頃の感じ。星がちょっと出てきていて、太陽の高さも夕方くらい。

―― 煙突から湯気みたいなのが出ていると思ってたけど、海の上の入道雲みたいなものに見えてきた。1番も2番も仕事の終わりってみんな言ってるけど、1番は仕事のはじめで、これから行くぞって感じ。

―― みんな二つの絵は冬って言ったけど、泥がついたり、虫がいたりする仕事は夏でも長袖を着ると思う。2番の絵はみんな怖いっていうけど、私もそんな気がして、下の人が鍬みたいなものをもっていて、悪

さをたくらんでいるような気がする。

―― どちらの人物も右の方に配置されていて、右の方を向いている気がして、何か意味があるのかなって思う。1番の絵はもしかしたら朝で、子守歌とかを歌いながら赤ちゃんを抱えて散歩しているお母さんかもしれない。二つの絵を比べると違いを見ちゃうけど、一枚だけ見ていると朝か夜かよくわからない絵だと思う。

―― 2番は右が太陽で左が月だと思う。太陽や月や星は東から西に行くから。月の方が遅く出ると思うから、こっちが太陽だと思う。これも三日月じゃなくて日食だと思う。太陽が出ていて、太陽がふわっと消えて、日食の間の一時間くらいの世界が描かれているみたい。

―― みんなの話を聞いていると、さらに怖く見えてきた。右を向いてるっていう話から、何見てるんだろう、何があるんだろうと思ったら、怖いけどなぜか惹きつけられてしまう。

―― さっきまで2番は夜だと思ってたけど、下の方はまだちょっと明るくて、冬だと日が沈むのが早いから5時半くらいの夕方かなと思った。

―― 昼か夜かという話があるけど、私は両方昼にしか見えない。二つとも下は明るいし、2番は上は暗いけど、とにかく真昼間に見える。

―― 1番は黄色が中心で真ん中に太陽があって、太陽を中心に放射線状の構図になっているから安心感がある。ピンクや明るい色が混ぜられていて、全体的に明るい印象がある。対して2番は黄色にも紫や青が入っていて、道路にも暗いグレーが入っていて、全体として暗い色でまとめられた静寂感がある。真夜中で空気が澄んでいるから星も異様に明るく感じる。静寂さを出したいから、人物も白のなかに混ぜ込んでいる感じ。1番は明るい感じを出したいから、黄色のなかにポコッと人を描いて浮き上がらせる感じにしているのかな。

―― 1番は晩秋で、一日の作業が終わって穏やかに日が落ちているところに見える。

―― 2番は昼か夜かわからないと思っていたけど、さっきの話みたいに上が夜で下が昼でもいいかなと思えてきた。真ん中の木の描かれ方が、どこから生えているかわからない感じ。普通に考えると道との境目に段差がないとおかしいし、段差がないならとても平面的な木になる。この変な木がバーンと象徴的な感じで画面の真ん中を貫いているので、この絵では上下で時間が違っていても不思議でないような、何かおかしな空間が開けているんじゃないか。

── 今の意見を聞いて、この木にフォーカスして見てみたら、そもそも木なのかしら?ってわからなくなってきた。木じゃない、上に伸びていく何かだとしたら何だろう?

参加者からは次々に意見が飛びだします。

木/木ではない何か。山/雪/海/空。昼/夜/夕方/明け方。夏/冬。ほっとしている/怖がっている。男/女。太陽/星。

同じ絵を見ても、人によって様々な見え方がすることがよくわかります。

いろんな意見がでてきたところで、次に休憩を挟んで、ここで考えたい「問い」をみんなで出し合うことになりました。ここでもたくさんの手が次々とあがります。出てきた問いは全部で九個。なかには似たようなテーマもいくつかあって、全体としては三つくらいの大きなグループにわけられそうです。

1　点々である意味はあるのか?
2　夏に見えたり夜に見えたり、わけのわからない変な世界なのはなぜ?
3　1番の絵は完結しているようだけど、2番はまだ途中のように感じるのはどうして?
4　本にはお話が流れているけど、絵は止まっているけどお話がある。この絵のストーリーってどんなの?
5　なんで絵には明るい絵と暗い絵があるのか?　なんで明るいとか暗いとかを感じるんだろう?　色で?　何で?
6　どうして昼、夜、秋、夏、冬とかを感じるの?
7　2番の絵は暗いと明るいのどっちも感じた。月が明るくて、太陽が暗い。太陽より月が明るく感じるのはなぜだろう?
8　変な世界ってどんな世界?
9　なんで色で季節がわかるの?

問いが出そろったところで、志帆さんがこんな感想を言います。

── みんなの問いを聞いていて思ったんだけど、みんな「感じる」っていう言葉を使っているね。「感じる」とは言うけど、これだって決めてないのが面白い。

確かに、みんなこの絵は断定的なこと

が言えないことを、「感じる」という言葉を使いながら、当たり前のこととして受け入れているようです。

これは点々じゃない！
点に見えるか線に見えるか

次に、このなかからみんなで考える問いを決めていきます。今日は時間がないので多数決をとることにして、一人二回まで手をあげます。その結果、1番の「点々である意味はあるのか？」の問いに16人もの手があがり、圧倒的な多数でこれに決まりました。

Q　じゃあ、なんで点々である必要があると思う？　何か思うことある人？

と志帆さんが質問を投げかけると、一番最初に力強く手をあげた子がいます。志帆さんがその子にボールを回すやいなや、その子はすっくと立ちあがり、とても大きな力と感情を込めながら、こう発言しました。

―― 私は点々じゃないと思います！！！！

参加者たちは思いもよらない言葉に虚を突かれ、思わず笑いとどよめきが起こります。

Q　点々じゃないと思うの！？　なるほど～、素敵。じゃあ、なんで点々じゃないと思うの？

―― ちゃんとした鉛筆とかペンとかで、一個ずつ線とかを描いているから、点々ではない！！！！

Q　なるほど～。じゃあ、なんで点々に見えちゃったんだろう？　あれだけの人が点々に手をあげたというのは、みんな点々に見えちゃったんだよ。何でだと思う？

―― ……線が切れているから。

点々じゃなく線だという思いを伝え、その考えを受け止めてもらったことで、その子は他の人はなんで点々だと思ったのか、点と線は何が違うのか、他の考えを受け入れる余地が生まれてきたようです。そして、その発言を聞いた周りのみんなも、どうして自分は点々だと思ったのか考えはじめます。みんなの前で一人だけ違う意見を言うことはとても勇気のいること。志帆さんはその子の気持ちをまずはきちんと受け止めました。

Q　なるほど〜。頑張って言ってくれてありがとう。他に何か考える人いますか？

—— 小ささを表すためには点々である必要がある。

—— 1番の絵は点じゃなくて線を使ってる。

—— 2番の絵の方が、点々を使ってこの作品をより良くしている。星か太陽かわかんないけど、それが順々に明るくなっているのを表現するために点々を使っている。

Q　点々を使うとどうして絵が良くなるの？

—— 点々の方が色のグラデーションがつけやすいかもしれない。点々だと吹いている風の向きとかもわかりやすい。

—— もしこれがのぺっとした平面や線だったらどう違うのか考えると、こういう点々の表現だとじわじわっとくる。描いた人もゆっくり描いたんじゃないか。

—— 線で描いていると月の光がきれいでみんなが嬉しいから。

—— 線だと模様になっちゃうけど、点だと光が表現される。

—— 点で描くと、ある色だけで別の色が作れる。小さい点の赤と小さい点の青をたくさんつければ紫色に見えるかもしれない。あと、月と太陽の端っこに斜めの点々がついてるからドーム状に見える。点でドーム状に見せると周りの風景になじむ。

Q　今、点で描いてるのは技術的なことじゃないかという意見がたくさん出てきましたが、他に何かありますか？

—— 点で描くと、空気が揺らいでいる感じを受ける。

Q　点で描くと、なんで揺らいでいる感じに見えるんだろう？

—— いろんな色があって、いっぺんにバーッと色がついてるよりは、いろんな色があるからかな？

Q　それはやっぱり技術の問題なのかな？

—— 点だと細かい表現ができるからかな。最初のこどもが点じゃないって言ったのはすごいと思った。

—— でも、よく見ていると同じ絵のなかで点で描いているところもあれば、点じゃなくて線で描いているところもある。1番の絵に描かれている人は点というよりは平面的に塗っていて、それが周りの点とのコントラストになっていたりもする。逆に2番の絵は人の方が点な感じだったり。

Q　じゃあ、やっぱり何でみんな点に見えちゃったんだろう?

—— 線が短かったから点に見えた。

—— これを描いた人が渦巻のきちんとした線に見えるように、わざと短い線を描いている。線と点の間の部分を描いて、見る人に想像させたかったのかな?　放射状になっているところはまっすぐな線だし、麦畑も放射状に見えるように線にしたのかな、とか。

—— もしこの絵を漫画で描いたら線一本で描くし、写真だったら一瞬で全部をとらえる。これは時間をかけて描いているから点に見えるのかな。

—— 色と点でうねりとか坂道とかを表現しているんじゃないか。

といったところで時間がきたので終了です。「点々である意味があるのか?」という問いから、これは点でなくて線だ!という意見や、点によって時間やゆらぎを表現しているのではないかといったいろんな話が出てきました。そして、今日もまた「点々じゃない!」というこどもの意見によって、それまでの思い込みに裂け目が入り、思考の転換がうながされました。

点描画や印象派についての知識がある大人は驚かされっぱなし。知識は見方を広げることがある一方で、見ることを妨げることがある。知識が少なく経験でものを言うこどもの方が、たくさんものを見ているということがある。そして、経験は見ることに大きく影響しているようです。たとえば畑仕事の経験のある子には、畑での長袖は夏でもよくあることだけれど、畑仕事をあまりしたことのないこどもには長袖は冬に見えます。高い山の頂上に雪をかぶった風景を身近で目にしたことがある子には、青と白の組み合わせは雪を被った山に見えるけれど、接したことのないこどもにとっては同じものが海と海岸の砂に見える。経験はものの見方を重層化する役に立つ。

こどもと大人、属性の異なる人たちが集まって行うてつがく対話は、多様な経験が合わさって、一人では思いつかないようなものの見方ができる場です。こどもと大人のてつがく対話の醍醐味がここにあります。

これかあれかに決定できない多元的な世界に向き合い続ける

最後に、前回の犬てつのテーマ「言っていいことと悪いことの違いって何?」は、あいちトリエンナーレにおける「表現の不自由展・その後」展をめぐってのものでしたが、今回の対話は同じくあいちトリエンナーレの全体のテーマ「情の時代」が念頭にありました。そのコンセプトには、情には主に3種類の意味があることが記されています。

1　感覚によっておこる心の動き(→感情、情動)
2　本当のこと・本当の姿(→実情、情報)
3　人情・思いやり(→情け)

あいちトリエンナーレはこのテーマを通じて、主観的な感情(1)や、メディアにあふれる情報(2)によって不安や分断があおられる世界において、人間にとって最もプリミティブな感覚でもある、合理的な選択ではなくても、困難に直面している他者にとっさに手を差し伸べようとするような「他者への想像力」にもとづいた「情け」のようなもの(3)を、身につける術を模索しようとするものでもありました。

「情」とアートの関係を考えてみようと、今回の犬てつで取り上げたのは「情念」の作家と言われるヴィンセント・ファン・ゴッホ(1853－90)です。情に満ちたゴッホの作品を体験することを通じて、絵を見てそれぞれに受け取る印象や解釈による主観的な感情や(1)、絵に描かれたモノやタッチ、色から読み取れる情報から(2)、絵や作者、観者、対話者といった他者への想像力(3)がいかに開かれていくのかを見てみたいと思いました。

選んだ絵画は、ゴッホの作品の次の二点。

(1番)「種まく人」(1888年)
(2番)「糸杉と星の見える道」(1890年)

1番の「種まく人」は、ゴッホが光に満ちた南仏アルルに移り、新しい生活への希望にあふれるなか「ひまわり」などの代表作をうみだした時代に描かれた作品。2番の「糸杉と星の見える道」は、芸術家の共同体を創ろうと呼び寄せたポール・ゴーギャンとの仲たがいもあり、失意のなかアルル郊外のサン＝レミにある療養所に入り、自殺とも言われる形で亡くなる2か月前に描かれた作品です。

こうした情報を事前に何も伝えないまま作品に向き合うことによって、どれだけのものが絵画から読み取れるのだろう。

対話のしょっぱなから「2番の絵は死ん

でる感じがする」といった言葉がこどもからでてきたように、私たちは様々な情報を一瞬にして把捉し、分析し、感じ取る力がある。それは、困難に直面している他者にとっさに手を差し伸べようとする「他者への想像力」と確かにつながっているものです。絵画を前にしたこどもたちは、何の知識がなくても画面に表れた不安や情念をともに感じ、絵のなかに描かれている人も不安なのではないかと慮りました。そして、断言ではない「感じる」という言葉を通じて、多様な解釈に開かれた世界をそのままに受け入れているようでした。

Q　アートって楽しいもの?

—— 不安になるけど惹きつけられることもある。

Q　アートには一つの意味や正解がある?

—— 同じ絵からも感じ取り方はいろいろあり、時には正反対の受け取り方もある。

そうしたことを知識として教えられるのではなく、実際に作品を見ながら考え、実感として得た経験があれば、アートが内包する多様性はもっと受け入れやすくなる。アートを体験型の娯楽や、教育型の名作鑑賞に閉じるのではなく、わからなさを受け入れつつ、そこに描かれ、表象されているものとの対話を通じた、世界を読み解く技芸(ars)としてとらえられれば、アートは多様な世界に私たちを導いてくれる。

そして、アートにおける「鑑賞の自由」ということを考えたとき、アートは何でもありで、自由に見て感じていいということと、じっくりと作品を見ていくなかで、そこにあるモノやタッチや色を通じて、自分なりの自由な受け取り方をしていくこととは、同じ「自由」であるようでいて、その意味はかなり違うということがよくわかります。

他でもないこの場所に点ではなく線を描き、色を置き、モノを置き、このタッチで描いたという作家の「表現」に敬意を払いながら、必ずしも作家の意図と合致するものではないにしても、そこに描かれているものや、そこに込められた意味や情念を見ようとして、自分の経験からの解釈を自在に積み重ねていくことと、そこにあるものを単なる刺激の材料として、自由気ままに感じることとは違うもの。時に応じて、そのどちらの接し方もできるし、どちらがいいとも限らない。でも、その違いをちょっと念頭に置くことで、アートの見方はさらに広がるような気がします。

そうした直観的な行為を大事にしながら、他者との対話を通じて、これかあれかに決定できない多元的な世界に向き合い続ける。アートとはそうした可能性をあけひらく場。私にとって、てつがく対話もそうした場をひらく技法としての、アートのひとつだと考えています。

　ますます深まっていく分断を、対話、そしてアートによって、少しずつ、一歩一歩、想像力を働かせながら埋めていく。そうした試みをこれからも続けていきたいと思います。ご参加いただいたみなさま、ありがとうございました。

犬てつの遊んでアート！工作キット

どう見える？どう感じる？ どんなフレームで切り取るかはその子次第。
誰かとの違いを対話を通して自由に楽しむ、新しいアートの楽しみ方。

アートには人それぞれのいろんな見方がきっとあります。一人でじっくり味わうのもいいけれど、それだけではもったいない。自分の感じ方を言葉にすることで、なぜそう感じたのか自分の世界が見えてきたり、人の意見を聞くことで見え方が変わったり、絵を見て話をすることで、周りの世界が違って見えてくるかもしれません。鑑賞教育とはまた一味違う、想像力を働かせた自由な対話、新しいアートの楽しみ方を体験しませんか。

- ●会　場：楽田ふれあいセンター１Ｆ　畳の間（愛知県犬山市外屋敷 59-1）
- ●対　象：小学生以上 ※センター内に未就学児が遊べるキッズスペース有
- ●参加費：500 円（家族は二人目から無料）定員：子ども 20 名（大人、幼児の見学も可）
- ●進行役：安本志帆さん（みんなのてつがく CLAFA 主宰）
- ●申　込：事前申し込み制です。参加者のお名前、年齢、メールアドレス、電話番号をお知らせ下さい。（先着順に受け付けさせて頂きます）

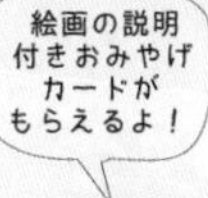

主催：犬てつ（犬山 × こども × 大人 × てつがく × 対話）　後援：犬山市教育委員会　2019 年度犬山市市民活動団体助成金事業

お問い合わせ、お申し込みはメール inutetsu1@gmail.com までお願いします。

ホームページ http://www.inutetsu.org/

design&illustration©cuu design　https://cuudesign.wixsite.com/kodomokaijyu

青空てつがく対話

今回のテーマ　なんでお外は気持ちがいいの？

進行役：安本志帆さん　　2019.11.17.sunday

青空の広がる爽やかな日曜日。犬山の奥座敷・栗栖地区にある野外活動センターをお借りして、青空てつがく対話を開催しました。まずは集まった人から順にカレーの材料を切って、鍋に投入します。とろ火にかけて、ぐつぐつ煮込む準備ができたところで、場所を移動しててつがく対話の時間です。はじめは火を囲んで対話する予定でしたが、煙を避けて横にレジャーシートを敷いてみんなで車座になることにしました。

今日は初参加の方も何組かいるので、てつがく対話についてリピーターの子に説明してもらいます。「テーマについて話す」「答えのない問いについてみんなで考える」「ボールをもっている人が話をして、他の人は静かに聴く」「本名やどこの誰かは関係なくて「私」で参加する」といったことを確認をしてから、てつがく対話のはじまりです。いつも押入れに入っていた子が、今日は真ん中に座りこんで、ホワイトボードのまとめ役を買ってでます。場所が変わることで、関わり方やモチベーションも違ってくるようです。

お外が気持ちいい理由。扇風機じゃない自然の風が吹くから

志帆さんから今日のテーマが問いかけられます。

Q　なんでお外は気持ちがいいの？

―― 青空で風が吹いていて、木があるから。砂漠とかだと砂しかないから、粒々した砂が目に入ると嫌かもしれないけど、木と風があると気持ちがいい。風で植物が揺れるし、涼しい。

Q　おうちのなかで扇風機だとどう？

―― おうちの扇風機だと小さいけど、風は世界中に吹いていて気持ちがいい。

―― 空がきれいだと気持ちがよくなる。

Q　どんなのがきれい？

―― 青空とか。青空を見るとちょっと元気っぽくなる。

── 僕は雪の日が気持ちいい。

Q　雪の日と、青空が気持ちいいって話が出たけど、雨の日や曇りの日が気持ちがいい人いる？

　という質問に、何人かが手をあげます。どんな天気でもいい気持ちだと思う人がいそうな様子。

── 天気雨がいい。天気雨だと青空で嬉しいし、その後虹が出るかもしれない。むっちゃ太陽が出て暑くても、その後に涼しくなったりする。曇りだと普通にテンションが下がる。雷が落ちてきたり、雨が降ったり、マイナスなことばかり想像される。

Q　曇りが好きな人はどんなところが好き？

── 曇りは涼しかったりするし、暑くもないし、寒くもない。

── 風が気持ちいいって言ったけど、風がめっちゃ強い台風とかは気持ちいいとは思わない。

Q　じゃあ、どんな風が気持ちいい？

── そよ風。

Q　なんでそよ風は気持ちいいんだろう？

── そよ風はふわっとするから寒くなる前に過ぎ去る。台風だとぶわってくる。

── 晴れていても、花粉症のときは外に出たくない。

Q　お外は本当に気持ちいいの？

── 私は花粉症じゃないからわかんないけど、夏や冬はあんまり飛ばないと思う。季節ごとに、晴れの方がいいとか雨の方がいいとかあると思う。冬は寒いから暖かい方が幸せだし、夏は暑いから涼しい方がいい。太陽がいいなと思ったり、風がいいなと思ったりするのは季節によって違う。季節と逆が気持ちいいのかも。

── でも、寒くても雪が降るとちょっと楽しい。

── 北海道の人は雪が嫌かもしれない。私たちは赤道の方に近いから、雪が降ると嬉しい。

── そよ風が肌にあたる感じがいい。

Q　そよ風ってどんな風？　今吹いてる風はそよ風？

── 今のは強くて、さっきの風が良かった。

── 扇風機の「弱」。

── 扇風機みたいに決まったときに吹く

風じゃなくて、思いもしないときに吹いてくるのが気持ちいい。

—— そよ風は決まってなくて、自分が気持ちいいと思ったのがそよ風。

Q　扇風機で強さが変わる「ランダム」設定はどう？

—— 扇風機は自然じゃない。強いかと思ったら弱くなったり、気持ち悪い。

—— 扇風機の風はコンセントにつながった人工の風だけど、そよ風は自然のきれいな風。扇風機みたいに風をおこすんじゃなくて、ふつうに吹いてくる。自然だからきれい。

Q　自然だからきれいってどういうこと？

—— 外は木とかがある。家のなかはこもる感じ。外は広い。

　風について詳しく話を聞いていくなかで、気持ち良さにはどうやら自然であることや、きれいであることが関わっていそうなことが見えてきます。そしてここから話は自然と人工の違いに展開していきます。

自然の概念について吟味する。自然と自然物の違い

Q　自然ってなんだろう？

—— 人の手が加わっていない。

Q　じゃあ、この場所は自然ですか？

—— 人の手が加わってるんじゃない？あの柵とか階段とか、あれも人の手……。

—— 昔はきっと自然がいっぱいあったけど、今は人が開拓してなくなってきている。自然は植物のイメージが強いかもしれないけど、自然には二つの意味がある。一つが森とか草で、もう一つは「普通」ってやつ。あの山も人が登れる感じに道を作ってるかもしれないから自然ではなくて、今ある自然は風だけ。風は空気みたいな感じで、変えようがないから自然。

—— 自然は人以外の植物とか、草とか、湖とか、川とか、そういうもの全部。高層ビルの立ち並ぶところに木があったら、その木は自然。

—— 人じゃないものは自然。人が作ったものではない、人以外のもの。

—— 人がコントロールできないもの？

—— なるほど！　コントロールできないもの！

—— 人がコントロールできないのは気温とか。でも、家のなかだとコントロールできるよね、だったら違うか……。

—— さっきは自然は空気だけって言ったけど、もしかしたら雨も自然かも。人間が蛇口ひねってジョウロでかけるのは自然じゃないけど、空から落ちてくる雨は自然かも。あと、井戸水。井戸を掘るのは人間だけど、井戸から出る水は場所次第だから自然なんじゃないか。地下の土から出てくるから。

Q　雨は自然だと思う?

—— うん。人が操ってないものが自然だから、雨は人が操れないから自然。

—— さっき、自然は人が作ったものではない人以外のものって言ったけど、それは自然じゃなくて「自然物」かも。自然というのは、その自然物がある「風景」かも。

自然とは何かを吟味していくなかで、自然物と自然に分ける考え方が出てきました。自然とは自然物がある風景という定義が姿をのぞかせます。

Q　もう一回その自然物ってどういうものか言ってくれる?

—— 自然によってできたものが自然物。

Q　たとえばどういうものがある?

—— 化石とか?　でも、化石は自然でもないし、人が作ったのでもないし、年月のような気もする。

—— 今思ったんだけど、木って自然じゃん?勝手に生えてきた木は自然物だけど、それから作った家って自然かな?

そんなとき、はじめて参加した一年生が手をあげてこう言います。

—— 自然だけど、おうちのなかにあったかいやつがあったら、あたたかい。

Q　なんであたたかいと思ったの?

—— 木はあたたかいものが入っているから。木の茶色はさわったらあつい。でも、太い木はあったかくない。細い木もあまりあったかくない。

Q　じゃあどんな木があったかいの?

—— おうちに使われている木。

おうちの木は自然であったかいという、自分の経験からでた気持ちのこもった意見を披露してくれました。

人間が手を触れたら人工？境はどこにあるのか

そこにまたさっきの自然物が気になっているこどもが話を続けてこう言います。

── さっきの話に戻るけど、勝手に生えた木は自然物じゃない？　でも、人間がちょっと手を触れたら人工物になるのかな？

── じゃあ、動物が人間に触れたら、僕たち自然物なのかな？　動物から見たら僕らは人工物なのかな？　自然物なのかな？

── 人間でも生まれて死んでいくのはコントロールできない気がするから、それは自然なのかな。

── 自然とか人工とか考えるのは人間だけだから、人間以外のものはあるがままで全部が自然。

── 人工物って人が作ったものだけじゃなくて他の生物が作ったのもそう。

Q　たとえば獣道とかはどう？

── それは人工物。

Q　人工物って何だろう？　今、「自然」と対比して「人工」が出てるんだけど、どこまでが自然で、どこまでが人工だろう？

── 自分の力で生まれてきたものが「自然」。でも、人間が植えた木は違う。

── 種から出てくるのは自分の力だから自然じゃない？

── テレビで見たけど、唐辛子をめちゃくちゃ辛く品種改良したのもある。人間が何もせずに木からぽとっと落ちたのは自然だけど、人間が種を植えたら人工なんじゃない？　種は母の木のものだけど、それを奪って改良したら人間のものになるのかも。

── 木から落ちた種は自然でも人工でもない。その種から生えるべき木も自然でも人工でもない。その種が生まれるべきものから変わっていたら人工。品種改良もそう。

── 自然の木の種を人間が植えたら人工だと思う。人間が手を加えることが人工。水をあげても人工になる。

こどもたちは自然と人工の違いを考えていくなか、その区別を厳密に考えていくと、境を見つけるのはとても難しいことに気がつきはじめます。

Q　人間の手を加えるって、どこからがそうなるんだろう。

── 人間が種を植えた木から落ちてき

た種は、人間が植えなくても人工。人間の手を離れて、風とかで飛んで別の場所から生えてきたら自然。

―― 人間が植えた木からできた種は、どこで生えてきても人工。

という話があったときに、こんなあきらめ声も聞こえてきました。

―― この地球には人工のものしかない。

―― でも、少しぐらいだったら人工じゃないんじゃない？　これが全部人工だったら子孫が残せない。他の生き物からすると人間は敵。自然と人間の関係は、ちびで弱っちい猿から見た意地悪なゴリラ。鷹バーサス朱鷺とか。

人間は自然か、人工か。誕生は人工でも成長は自然？

なんだか壮大な話になってきて、みんな頭がこんがらがってきます。そこにまた、こどもからこんな問いが挙がりました。

「今思ったんだけど、人間って自然なのか人工なのか？」

それを受けて志帆さんがみんなに「人間は自然ですか？　人工ですか？」と問いかけると、「はいはい！」と勢いよく手をあげる子がいます。

―― 不妊治療でできたこどもは人工で、普通にできたこどもは人工と自然のハーフ。

不妊治療という言葉を知らない子もいるので、志帆さんがこんな説明を加えます。「不妊治療は、お父さんとお母さんがいてこどもが生まれるけど、たとえばお母さんに赤ちゃんが育つベッドのようなものがない病気の人とか、お父さんとお母さんの精子と卵子が受精しにくい人がいて、その人たちが赤ちゃんができるように治療をすること。今の意見は、その治療で生まれた子は人工だということだね。」

その子はさらに続けます。

―― 不妊治療をしなくて、お父さんとお母さんから自然に生まれたのは自然だけど、人から生まれたから人工。

Q　人から生まれたら人工？

―― 人工の人（じん）は人（ひと）だから。

人から生まれた時点で、それはもう人工だという意見に、大人からは思わず笑いが漏れます。また別の子からもこんな問いが出てきました。

―― 人が産んだものだから人工だけど、もしかしたら、生まれたけど育てるのが大変で森に捨てたとします。その子が狼と出会って仲良くなりました。仲良くなって結婚してこどもを産みました。変な子が生まれました。この子はなんだろう？　この子は多分、自然？　変なのがどんどん増えていきました。それは自然？

Q　人が子を育てるのが人工って感じ？

―― そこから自然に育っていって、でっかい変な動物になったら自然になっちゃう。

Q　動物が絡むと自然？

―― 違うものと違うもの、人工のものと自然のものが結婚して変なものが生まれたら、それは自然になる。

Q　人は人工だと思ってるんだっけ？

―― 人と人が産んだものは人工だけど、動物と動物が産んだものは自然になって、人と動物がもし産めたとしたら、それは人工と自然が半分半分じゃないかな。

Q　人が産んだものは人工だという人が多いんだけど、人が産んだのは人工ですか？

―― 人工の工は工場の工だから、工場で作ったのが人工。人が産んだのは工場で作ってないから人工じゃない。

―― 不妊治療をするところは病院だけど、それは工場に入るのかな？

―― 産婦人科みたいなところは、ある意味赤ちゃんを作りだす工場みたいなところ。

―― 人工の工は、工場の工じゃなくて、工夫するの工だから、工場ってことじゃなくて作る系だと思う。手を加えただけで人工だと思う。

―― そこの部分だけみたら人工かなと思うことも、そこから生えるとか、生きていくとかの部分は自然のことだと思う。プロセスとか過程は自然の力だと思う。誕生は人工でも、成長は自然。

―― 人は自分を中心に考えているから人工って言うけど、猿目線でいくと、猿がやることが猿工で、人がやってることは自然かもしれない。

―― 人工は人が作ったもので、自然の自は「みずから」だから、最初っから自分で出てきたもの。

人が生まれることは人工ではないような気もしているのに、「人が関わることは人工だ」という定義をあてはめていくと、それも人工になってしまうジレンマをどう考えるか。言葉のそもそもの成り立ちを検討したりと、みんなで必死に頭をひねります。

キツツキが木に穴を開けるのは人工か、キツツキ工か?

Q　じゃあ、さっき言ってた種とばしで口からプッて出てきたのが生えたのは?

―― ・・・・ハーフ?

―― さっき言った意見の反対かもしれないけど、人工ってゼロから作ること?

―― 改良って自然なの?　加工って字もあるよね。

　場からは次々と問いとアイディアが沸き上がり、志帆さんがあまり問いかけなくても、これまで経験したことがないくらい、みんなの力で対話が深められていくような状態ができあがっています。

―― キツツキが木に穴を開けるのは人工なの?　キツツキ工(こう)なの?

―― キツツキ工!

―― 犬はわんわん鳴くからワン工!

　というダジャレまで飛びだしてきます。

―― だったら木から落ちた葉っぱや種も木工(きこう)になるんじゃない?

―― 木から落ちた葉っぱでも、木から離れているから葉っぱ工とか、さっきは木工だけど葉っぱ工になるとか。人工も人から離れたり、自分から生えてきたら人工じゃなくなって別の工になるかもしれない。

―― ちょっと話が戻るけど、不妊治療でできた子が人工なのではなくて、どんな子も助産師さんとかに引っ張られて出てくるから、人工の方が若干多いハーフとか。

―― 自然、人工じゃなくて、人は人。猿は猿。キツツキはキツツキ。人も人工も意味はない。自然に生まれた子も不妊治療で生まれた子もどっちも人じゃん。だから人。人に自然も人工もない。

―― 話が少し戻るけど、赤ちゃんは出るときに引っ張られて出てくるから人工もあるっていうけど、出るときに生まれる子も頑張って出ようとしている。出ようとしてないわけじゃないから……。

Q だからどうかな?

―― ……ハーフって感じ。

―― 話が変わるけど、多分、人工とかいっぱい考えているのは、人間以外誰もいない。つまり、猿が人工って言ったら、なんだよそれって。猿が作ったものは猿工かもしれないけど猿には関係ない。人間は幸せに生きようとするけど、猿は食われないようにしようとか、生きようとしてるけど、生きるの一筋に必死。猿工とかに意味はない。

―― 人間は幸せに生きることで長生きできるから楽しく過ごそうと思っているけど、動物とかは人間に食べられたりするから生きるのに必死。生きるのに必死な人は自然かな。

「なんでお外は気持ちがいいの？」から自然の話、自然と人工の違い、人間と動物の違い、自ら生まれ出るものと手が加えられるもの、幸せに生きようとすることと必死で生きることなど、たくさんの重要な考えるポイントが出てきましたが、時間がきたのでこれで終了です。

最後に、てつがく対話ではまとめたりせず、一緒に考えることを大事にしていて、この後もそれぞれの場でそれぞれの対話を続けてください、ということを志帆さんが初参加の人たちに話していると、こどもたちが口々にこんな補足をしてくれました。「正解もなければ外れもない！」「答えもない！」「1＋1の答えもないんだよ！」そうして、みんなもうお腹もペコペコになってきたので、ランチタイムに突入です。

青空の下、自然のなかでの対話は、心も身体も解放されてのびやかな気分です。刻々と変化する風に気持ちも揺れたり、日向ぼっこをしながら気持ち良くなってお昼寝をはじめたり、話の途中で木登りに行って、また戻ってから集中を高めたりと、みんな、それぞれの自由な仕方で、青空てつがく対話を楽しんでいました。

今回は特にこどもたちの自在さが格別でした。自分たちで問いを出し、反例を出し、考えを深め合い、今までになかったような活発さで思考が動いていた様子。自然のなかでは心も身体もいつもとは違う刺激を受けるのでしょう。解放感あふれる楽しい対話となりました。

ご参加いただいたみなさま、
ありがとうございました。

9 今回のテーマ　犬てつするってどういうこと?

進行役:安本志帆さん　2019.12.14.saturday

今年度最後の犬てつです。

今日のテーマは「犬てつするってどういうこと?」。犬てつでは以前に「てつがく対話って何?」のテーマで話しましたが、今回はそこからもう一歩進んで「てつがく対話をすること」と「犬てつすること」はどういう関係にあるのか、考えてみたいと思いました。てつがく対話することは、犬てつすること? それともまた違った意味がそこにはあるの?

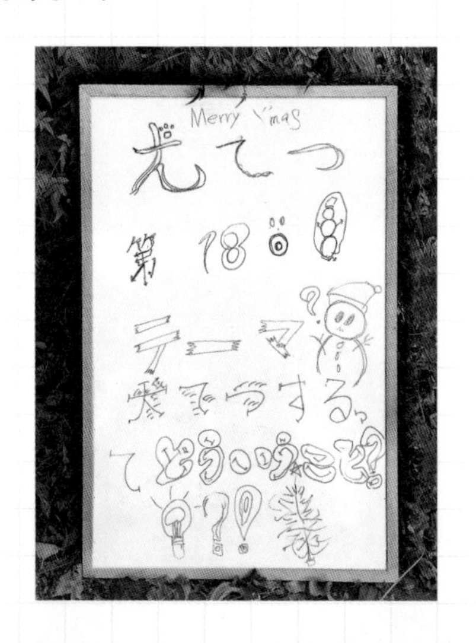

犬てつは自由な場所?
自由ってどういうこと?

犬てつをよく知らない新しい参加者も話に加われるように、志帆さんはまずはリピーターの一人ずつに「犬てつするってどういうこと? 犬てつってどういうところ?」の問いに答えてもらいます。ほとんどのリピーターのこどもたちは、考える間もおかずに次々と言葉が出てきます。

「いろんな人の話を聴いて、答えのない同じテーマについて、自分の思ったことをみんなで話すところ」「考えを深める場所」「楽しめる場所」「話をしても損をしない」「学校では考えないようなことを考えられる場所」。

大人からはこんな意見が出ます。

「大人がこどもからすごく学ぶ場所」「自分が思っていることを自由に言っていい場所」「意見が変わってもよくて、終わったあとも考えつづけられる」「課題解決の場じゃなくて、最後にまとめがないから放り出された感じで最初は不安があった」「人の意見を聴いて自分の考えや見方が変わっていくのが面白いし、楽になるところ」「話を聴いて感じたり、伝え方を感じるところ」「上手に言えなくても、思っていることが人に伝わる嬉しさを感じる場」。

そんななか、こんな意見も出てきます。

—— 犬てつが何かはよくわからないんだけど、三年前に犬てつをはじめたときに、周りのこどもにちょっかいを出す子がいた。みんなで対話しましょうと言っても、集中できなかったり話に加われないこともある。犬てつは何かというよりは、犬てつをはじめてから、私は「みんな」って何だろう、誰だろうということをすごく考え続けているので、犬てつは私にとってそういうことを考えさせる場所だと思う。

Q　今、「みんなって誰なんだろうとずっと三年間考えている」という話をしてくれたけど、みんなは何でここに来ているんだと思う？何をしに「犬てつ」に来ていますか？

―― 犬てつは、学校では何で？って思っても言えないことや、言ったら面倒臭くなるようなことを言ってもいい場所だし、答えがないから間違いがないし、何を言っても恥ずかしくないから。

Q　学校では恥ずかしい？

―― 恥ずかしいっていうか、後のイメージが悪くなる。あの子はなんか変なこと言ってたらしいよって言われるかもしれない。でも、ここだとみんな自分で好きなことを言ってるように見えるから、自分も言っていいように思う。

Q　それはどういうところでそういう風に思える？

―― 好きなことをしていてもいいところ。自由だし、楽しい。

Q　自由ってどういうこと？

―― 学校だと席に座らないと怒られるけど、ここだと自分の好きな座り方でもいいし、遊んでいてもいいから。

Q　今の意見に何か思うことある人いる？自由って他には何だろう？

そこにこんな突っこみが。

―― でも、犬てつにも制限時間とかあるんじゃない？

Q　うん、それはいい指摘だね。みんなどう思う？

―― どんなことを言ってもいいって言うけど、人の悪口とかダメでしょう。

ルールとは、人に優しくするための最低限のもの

自由のなかにも制限があるという話がこどもたちから出てきたところで、志帆さんは次に「ルール」という観点を持ちだして、自由の内容をさらに吟味していきます。

Q　そういえば、てつがく対話するときにルールがあるよね。ルールがあるってこと

は自由ですか?

—— 自由じゃない!

Q　なんで自由じゃないか教えてください。

—— 学校でも決まりがあるし、ルールは決まりと同じものだから、犬てつでもテーマに沿ったことを言わないといけないというルールがある。

Q　それはつまり、ルールがあるということは自由じゃないかも?

　すると別のこどもからこんな意見が。

—— でも、テーマが決まっているけど、途中で違う方に逸れていってもいい。この間も「なんでお外は気持ちいいの?」のテーマだったのに、「自然と人工の違い」に話がずれていった。だから、それはルールではない。

—— ちょっと話は戻るけど、犬てつも学校もルールはあるけど、犬てつの方が全然甘いルール。だから損しない。

—— ルールが甘いとか強いとか関係なくない?　だって、ルールはルールじゃん。

　志帆さんはそれを聞いて、さっき「ルールがあるということは自由じゃない!」と言い切ったこどもにボールを渡して「今の話はどう思う?」と意見を求めます。その子はちょっと考えてからこう言いました。

—— 関係なくてもルールはどれか一つはあるはずだから、甘いとかは関係ない。

Q　ルールがない場所はないということね。それについてはどう思いますか?

—— ルールは人に優しくするための最低限のものだから、自由じゃないということではない。なくてもいいルールは自由じゃない。

—— 犬てつにはテーマはあるけどそれに関連したことなら話していいし、まったく違うことになってもいい。「地球にはなんで海があるの?」という話も戦争の話に移っていった。だから、テーマに関連してれば自由に対話していいから、ルールがあるようでないような気がする。

ルールがなければ
自由もあるようでないのでは

　次いで、ルールの話をさらに深める例として、こどもから「犬てつ」と対になるような、「仕事」という観点が持ち込まれます。

—— 自由はあってもなくてもいいんじゃない?　働くのも自由じゃん。働きたい人は働けばいいし、働きたくない人は働かなければいい。

Q　働く人の自由と犬てつの自由がどういう風に関連してるか教えてくれる？

そう聞かれたこどもは何か言いたいところはあるようですが、なかなか言葉にするのが難しい様子。例には出したものの、自分でも論点が曖昧なようです。すると別のこどもが手をあげて発言します。

―― 仕事がなければ働きたくても働けないし、お金がなければ働きたくなくても働かないといけないということもあるから、やりたいことが100％できるわけではない。

Q　それを犬てつの話に置き換えるとつまりどういうことになるかな？ 犬てつの場において、ルールがあっても自由なんじゃないかという話と、自由があってもなくてもいいという話とどうやってつながるんだろうか？

―― 仕事が好きでやってる人は自由だけど、お金が欲しいとか何かのために好きでない仕事をやらされてるのは自由じゃない。だから、犬てつでルールがあっても自由だと思ってる人は自由だろうし、ルールがあるから自由じゃないと思っている人は自由じゃない。好きで仕事をやってるけどその仕事のルールが嫌だっていうのと、てつがく対話は好きだけどルールがあるのが学校みたいで嫌だというのとは……、一緒の「関係」にある。

Q　なるほど。つまり受け取り手によって変わるということでいい？

―― 仕事をやるかやらないかは自由だけど、そこからどういう風に進んだり、どこで仕事するかは自由じゃないから、自由かどうかもわからない。

Q　選ぶことは自由だけど、その先は自由じゃないということかな。たとえば「犬てつに行きたい？」と家で聞かれて「行きたい」と言うのは自由だけど、犬てつに来て、ボールを使ったり、円になるのが嫌だと思ってたりすると自由じゃないということかな。

―― 仕事の自由と犬てつの自由の物差しは違うんじゃないか。なんでかというと、たとえば犬てつはテーマが決まってるけど、さっきも言ったようにテーマがずれたりしても怒られない。でも、仕事はこれをやりなさいって言われたらそれをやらないといけないという違いがある。

―― でも、ルールがなければすぐに話ができる。ルールがあるようでないってさっき言ったけど、ルールがなければ自由もあるようでないんじゃない？

―― さっきと逆のこと話すんだけど、宿題が終われば自由があるって思ったけど、そもそも、じゃあ自由があるならルールもあって、ルールもなかったら自由もないってことじゃないの？

Q　どうしてそう思ったの？

―― だって、ルールがあったら自由がない。でも、自由があったらルールがあってないかもしれない。あるかもしれないけど、ないかもしれない。

この意見を言ったのは「ルールがあったら自由がない！」と最初に断言したこどもです。みんなの話を聴くなかでルールと自由の別の関係も見えてきて、今度は自分で命題を反転させて、自由があったらルールがあるのかどうかについて別の角度から考えているようです。

ルールがあった方が平和で自由。自由のためにルールがある

ルールはあるようでない、自由はあってもなくてもいい、自由があったらルールはあってもないようなものかもしれない。となんだか頭がこんがらがりそうになるなか、ルールと自由の関係について、また別の視点が出されます。こんどは交通規則の例です。

―― ルールがなくても自由は自由なんだけど、ルールがないと事故とかが起きやすい。横断歩道がない場所は渡っちゃダメというルールがあるけど、そういうところを渡ると事故になりやすい、そういうルール。信号があるところは、左右を見ないとダメだけど、見ないと事故になりやすい。

Q　それってルールと自由にどうつながる？

―― 自由ってわけじゃないけど、ルールがあった方が平和。平和でいろんなことが自由。平和で自由。それで長生きできて、自由。

―― ルールがあった方が、みんなが平和に暮らせるだけじゃなくて、みんなが自由に暮らせる。自由のためにルールがある。

Q　自由に暮らせるといいの？悪いの？どうなの？

―― いい。

Q　どういう風にいいの？

―― 具体的にはわからないけど、なんかいい。何を考えてもいい。何を考えてもいいという自由がある。

Q　でも、いろいろなルールがあっても、何を考えてもいいっていうのはすでに守られているんじゃない？

志帆さんのこの問いに、この子は黙って

考えをめぐらしています。その間に別のこどもが「自由」についての意見を出します。

―― さっきのルールがあると自由じゃないという意見に疑問をもっていて、自由っていうのは人によって違うから、そこで言っている「自由」はどういう自由なのかな？　私にとっての自由は、自分のなかでの自由。一日にお風呂は一回しか入らないと自分で決めていたら、それ以外のものは自由にやっていい。宿題はやらなくてもいいという自分のなかのルールがあればそうすればいいし、自分のなかのルールを守るのが自由。

それに対し、「なるほど、自分で決めたルールを守るのが自由なのね」と志帆さん。すると、また別の子が「守るのじゃなくて、守「れ」るのが自由」と口を挟みます。それを聞いてさっき発言したこどもは、「あー、なるほど、守れるのが自由.....」と考えながらその言葉を繰り返し口に出し、自分のなかでその意味を再点検しているようです。

平和で自由になるためのル―ル、強制されたルール、自分で決めたルール、ルールを守るか守らないか守れるかの自由等々。ルールと自由をめぐる関係について、みんなが例を挙げながら検証し、自分なりの解や共通了解があるのかどうか、知恵を絞り合って考えます。

みんなとは誰のこと？
ボールを誰に渡すかは自由？

自由とルールの関係についての意見がだいぶ出てきたところで、志帆さんはそこにさらに最初に出てきた「みんなとは誰か」の問いを継いでいきます。

Q　最初の「みんなって誰だろう」という問いに戻ると、犬てつにはルールがあって、人によってそれが甘かったり強かったりする。ルールはあるけど、すべての人が同じように犬てつのルールを感じているかどうかはわからない。犬てつは自由だと言ってくれた子も多かったけど、それは本当に「みんな」ですか？「みんな」というのは誰だと思いますか？　今日来ていない人でも犬てつに参加した人はいっぱいいるからね。誰をみんなって言ってる？今日ここにいる人だけがみんな？

―― ここにいない人もみんな。

Q　たとえば？

―― 仲間。ここにいない人も仲間。

Q　ここにいない人っていうのは、ここにいないけど犬てつに来たことのある人？

―― 今日はいないけど、ここに来たことのある人みんな。

　そのとき、あるハプニングが起きます。

　次の発言を求めて、二人のこどもが手をあげていました。一人はさっきもボールが回ってこなくて発言できず、先に手をあげていたこどもです。もう一人はそれに気づいて手を降ろし、その子にボールを回すようにうながしました。

　でも、最後に発言をしてボールを持っていた子はその二人をしばらく見比べてから、手を降ろした方にボールを投げて発言の権利を渡しました。てつがく対話のルールでは、発言を終えた人が次に発言する人を決めてボールを渡します。ボールをもらえなかったこどもはそこに何かを感じとり、泣きだしてしまいました。

　その間にボールを渡されたこどもが発言します。

―― みんなっていうのは自分のなかのみんなコレクション。自分のなかに5人コレクションがいるとしたら、それがみんな。自分のなかでみんなと思っている人がみんな。たとえばみんなって使うときに頭に浮かんだ人がみんな。

Q　それって自分の仲間みたいなもの？　みんなって言葉を使わないなら仲間？

―― みんなっていうのはそこまで友達じゃない人。友達は名前で思い浮かべるから。

　次に志帆さんはボールをもらえなかったこどもにボールを渡します。でも、その子は泣き続けてもう発言しようとはしません。はからずも、これまで話してきたルールと自由の問題に直結するような出来事です。それを受けて、志帆さんは次のような問いを場に投げかけます。

Q　犬てつでは今みたいなことが起こるよね。ボールを持っていた人が、次に話す人を選ぶんだけど、早い者勝ちっていうルールも明確にあるわけじゃない。これはどう思いますか？　しゃべりたかったけどしゃべれなかったりとか。これは自由ですか？

　すると、さっきボールをその子に回さなかったこどもがこう言います。

―― 自由。人の自由。

Q　それは誰の自由？

── 選んだ人の自由。選んだ人がその人を当てない時もある。人次第。

Q　でも、当てられなかった人は悲しい気持ちになっちゃう。

── それも自由。

それに対して、別のこどもが反論します。

── 自由じゃないと思う。なぜなら、ボールを誰かに渡そうとした人は、誰に渡すか決めるから自由だけど、渡されなかった方は、誰に渡すか「決められてる」から自由じゃない。

── 手をあげて当てられた人は嬉しいけど、当てられなかった人は悲しいからみんな平等にはならない。

Q　みんな平等にはならないってことは、つまりどういうこと？　自由じゃないってこと？

── うん。

Q　ということは、平等であることが自由？

── そうでもない。

Q　この場合の平等っていうのはどういうことだろう？　手をあげたけど、複数人あげています。そのなかで平等ってどういうことだろう？ 早く手をあげた方がボールをもらえるという気持ちがあったから泣けてきちゃったと思うけど、そこのところはどうだろう？

── そこのとらえ方も一人ひとり違うと思う。

そこにさっきの出来事についてこんな補足がされます。

── 今この子が泣いたのは、早く手をあげたのに当たらなかったからじゃなくて、多分、反復というか、その前にもボールが回ってこなかったからだと思う。一回目に忘れられて当たらなかったのは別にいいと思えたんだけど、二回目にも別のこどもにボールを渡してもらえないとなると、悲しくなるというか……。もう少し広げて言うと、さっきの学校の例もそうで、なんとなく話さない方が良さそうだなということを身に着けていくように、なんだかよくわからないけど、その場の雰囲気のようなものでボールを回してもらえないということがあると……、多分それは自由でなくなることにつながっているように思う。わかんないルールがあると自由ではなくなるということがあるかもしれない。

それまで遊んでいたこどもたちも静かになって、話に耳を澄ませています。同じ場を共有するものとして、一人ひとりがこの問題を自分事として受け取っているのでしょうか。「てつがく対話する」ということと、「犬てつする」ということに関わる何かが、ここに凝縮して表れているような気もします。

そして別の大人からもこんな話がでてきました。

—— 多分学校は時間がないからこういう話はしない気がするんだけど、逆に犬てつは「自由ってなんだろう」って、こんなに考えることができる場なんじゃないか。考えは自由なはずなのに、学校では実はその自由な考えが守られていなかったりして。ハイッて手をあげる強い子が先生から当てられやすい傾向がある気もするし、社会や仕事の場でも意見が強かったり正当性が高い人に目がいくので、そうじゃない子に目を当てることを考える場っていうのはあまり経験できない。犬てつはそういうことを考えさせられる場なのかな。

それに対して志帆さんはこう言います。

—— 悲しいと思って泣くのは表現の一つであって、押し入れに入ったり、出て行ったりという形で表現していた子は過去にもいたと思う。ご機嫌に話すことで解消されるかというとそうではないし、話すことで傷つく人はたくさんいるので、話すのがいいというわけでもない。一人ひとりの表現の違いをどう感じるかということを、今日は考えるべきかなと思うんだけど……。

みんながいいと思えるのは不可能なことなのか?

そう言うと志帆さんは「今は特別にみんなの力を借りたいからもう一回集まって!」と、縁側に出てしまったこどもたちに、また部屋に戻るよう呼びかけました。

Q　今日は今年度の最終回で「犬てつするってどういうことか」を考えてるんだけど、ハイッて手をあげてたくさんしゃべれる人と、しゃべりたいけどしゃべれない人がいたり、うるさいところが落ち着く人と、静かなところが落ち着く人がいたり、みんな一人ひとり違うわけだよね。「平等」っていう言葉も出たんだけど、みんなが良かったなと思うようにするのはどうやったらできるのか？　それとも、それは不可能なこと？「犬てつする」ってどういうことだと思う？

—— 私は不可能だと思う。どうしてかというと、いろんな感情がみんな同じなわけではないから。平等っていうのも、自分のなかで平等じゃないと思っている人もいっぱいいるかもしれないから、無理だと思う。

Q　それはしゃべりたい人にとってね。じゃあ、しゃべりたくない人にとってはどうですか？　前に必ず一人一回話すようにあみだくじを持っている先生がいたんだけど、それだと話したい人も話せないけど、みんな必ず一回は当たる。そういうのはいいことかな？

—— それは絶対平等じゃない。言いたいことが言えないというのもあるけど、言いたくないことを言わされているというのがある。

—— 学校でも話したくなければ本当は「言いたくない」と言っていいと思うんだけど、そう言う前に、自分で「言わないといけない」というようなルールを作ってしまっている。でも、はっきりと言われてなくてもそこには何かしらのルールはある。でも、曖昧だし納得もしてなかったりするので、なんとなくわかりにくいまま自分を縛るルールだけがふくらんでいって、自由じゃなくなるのかな、と思う。

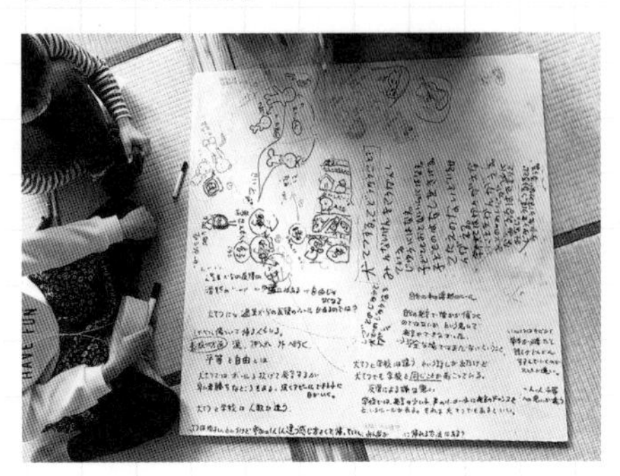

—— 前の「ずるい」のテーマのときにも言ったんだけど、その人にとっての平等と、他の人にとっての平等や満足は違うから、まったく平等にはできないんじゃないかって思う。たとえばケーキをみんなに分けたら一切れ余って、Aさんはもう満腹だけど、Bさんはまだ食べたい。二人の満足は違うから、まったく平等にはできないと思う。

Q　それについてどう思う？

—— そういう単純なときだったら、Bさんにもう一切れあげたらいい。

Q　でも、そうしたら「私は一個だったのに、Bさんは二個でずるい」って思う人も出てくる。だから、「公平」と「平等」はまた違うのかもしれないけど、誰にとっての平等かって、人によって変わるという話だったんだよね。「犬てつする」っていう話でみんなは「自由に話せる」「嬉しさを感じる」「感じたことを伝えることが嬉しい」と言ってくれたけど、本当にそうなのかな？犬てつで泣いちゃう子だっているのだから、本当にそうなのかな？

―― だからやっぱり、嬉しいという気持ちは言える側にとっての嬉しいであって、言えない側にとってではないと思う。

―― だったら、あんまり言ってない人に言わせてあげるとか。ボールを渡してあげるとか。それってルールというか、常識みたいなものかもしれないけど。

―― でも、その判断の基準というか、透明なルールはルール化されてないから、みんながルール化したほうがいいと思っちゃって、ルール化してしまいがち。

Q　そこはすごく大事だと思うんだけど、話してない人にボールを譲りましょうというルールを設けることはできるけど、そうすべきかどうかという問題で、それについてはどう思う？

―― 確かにそういうルールがあれば何回も手をあげても当たらない人は悲しまないけど、その代わりそういう子によくボールが行くようになるというのは、何度もあげている子が今度は悲しむ。

Q 新しいルールを作っても、そのことによってまた別の悲しむ子が出てくるということかな。あと、さっきルールがあった方が平和になるっていう話も出たけど、それにもつながるよね。でも、ルールを作ったことによって次の別の人が嫌な思いをするかもしれない。じゃあどうすればいいんだろう？

―― だから、みんなが喜ぶようにするのは無理なんだ。

Q　無理説もさっきからでてるけど、それについてどう思う？

―― 犬てつは自由な場だと考えるなら、何か暗黙のルールのようなものがあって嫌な思いをした人がいたときに、「私はそれが嫌だった」「悲しい思いをした」という表現をする自由がある場なのかなと思う。そこからまた話がはじまったりするというか、それしかないのかな。

―― でも、その「嫌だった」ということを、学校と同じく犬てつでも言えないと思っていたとしたら……。

―― それはその子にとって犬てつも安全な場じゃないということかな。でも、各々に自分の問題を抱えている人が集まっているのがこの場であって、そのみんなが良かったと思えるような対話の場になるといいんだけど、それはとても難しい。泣くという表現だけじゃなく、逃亡するとか、押入れに隠れるとか、言わずに家で話すとか、いろいろなあり方があるわけだから……。結局何かをルール化しても、それによって誰かが嫌な思いをするかもしれない。じゃあどうするか、いや無理なんだよ、という堂々巡りみたいなものがあって、今日そういう話が出たのはすごく良かったと思うし、本質的な話だけど、とても難しい……。これって一回で終わる話じゃないよね。

と志帆さんが結んだところで、お腹が空いたこどもたちの集中力も限界となって、対話は終了となりました。

てつがく対話はルールがあるからみんなで安心安全に話せるということをよく耳にしますが、ルールが重要なことは確かなものの、ルールがあるだけで対話の自由や安心が獲得できるわけではないということが身に沁みて感じられます。

そして、たとえルールがあっても「みんなが満足する」ということは、原理的には不可能なことなのでしょう。ではどうするかとなったときに、誰かの自由は誰かの不自由と考えてみんなが満足することをあきらめるか、あるいはそこに何か方法がないか考え続けようとするか、そこにわかれ道があるような気がします。

対話で出てきた「ルールは人に優しくするための最低限のものだから、自由じゃないということではない。なくてもいいルールは自由じゃない」というところにも、何かのヒントがあるような気がします。ルールがあっても、それが人に優しくするためのものや、自分でも納得のいくようなものであれば、たとえそれで自分に不利益があったとしても、人は満足したり納得することはできるんじゃないだろうか？

今回は「犬てつするってどういうこと？」を巡って、自由やルールについての熟議が行われた回でしたが、その先には平等や平和、民主主義の概念まで、果てしなく続くような対話の種がつまっていそうです。

犬てつはどんな漢字で表せる？
漢字から犬てつの意味を考える

対話が終わり、お腹の空いたこどもも大人も待ちに待ったランチタイム。今年度の最終回ということで、みんなで一緒にご飯も食べようと準備したのはちらし寿司とお味噌汁。一升のお米を炊き上げましたが、あっという間に平らげました。

ごはんの合間にこどもから、年末のニュースでよく見る「今年の漢字」をもじってか、「犬てつを漢字で表すと？」という問いが出されました。手近にあったペンをマイクに見立てて、一人ずつ答えるなか、次々とアイディアが出てきます。

「楽考（いぬてつ）」
「思言（いぬてつ）」
「皆考（いぬてつ）」

という案が出るなか「じゃあ一文字で表すと？」という話になり、

「皆」「知」「初」「共」「繋」「言」「集」
「哲」「学」「考」「一」「動」「続」「分」
「人」「楽」「悩」「思」「無」「聞」「美」
「丸」「論」「輝」「良」「字」「由」「？」「満」
「聴」「案」「喜」「閃」「広」「膨」「志」
「犬」「亜」「作」「対」「合」「話」「愛」

という字が出てきました。小さいこどもも「こういうのは漢字ではどう書くの？」と聞きながら、一緒に頭を絞って考えてくれました。ちなみに「志」は志帆さんの志、「亜」は亜紀の亜ということで、こどもたちのさりげない気づかいと粋な計らいには頭が下がります。

このなかから三つをとって、「考楽？（いぬてつ）」という案もでますが、最後に「？」を欠かさないところも犬てつのエッセンス。犬てつにはこんなにたくさんの意味があるんだなということに改めて気づかされます。犬てつ三年目の節目にもらった素敵な言葉のプレゼントとなりました。ご参加いただいたみなさま、ありがとうございました。

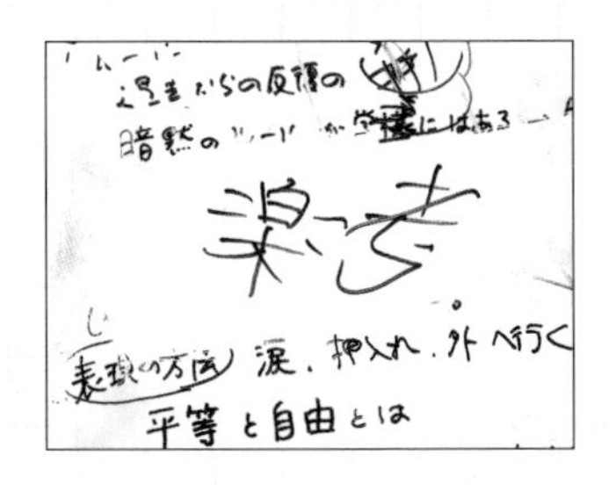

考楽?
考えるのって、楽しいの?
今は
GET
OUTSIDE
AND

こどものみなさん、教えてください。
犬てつってどんな場所？

犬てつ以外のほかの場所でも、自分の意見をいえるようになって、

人の意見を聴けるようになった、というか聴きたいのかも。『あなたはどんな考えなの？』って知りたくなった。

自分の意見と共通をみつけたり、ちがう意見ではそんな考えもあるんだということを楽しめるようになった気がする。問いをみんなで考えるのが一番楽しい。

普段考えないようなことについて考える。他の人から「何でだろう」と聞かれて考えていくと、「たしかに」と思う時も「何でだろう」と思う時もあって

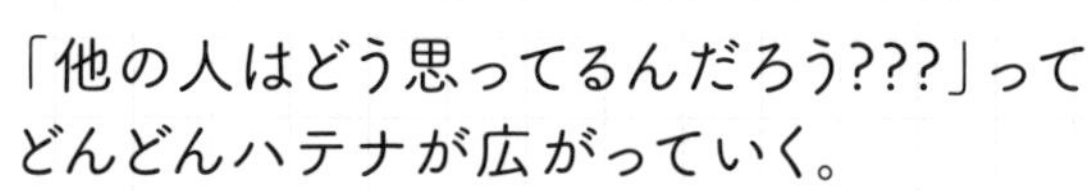

「他の人はどう思ってるんだろう???」ってどんどんハテナが広がっていく。

自分の考えがひらめいたときはすごくスッキリして嬉しい。だけど、自分の言ったことに違う意見が返ってきた時も「なるほど！」と思えたときは同じくらい楽しい。それが楽しくて参加している。

一人じゃ辿りつけなかった考えに辿りつく。

思いつかなかった考えを聴いて、自分もそう思ってた！って気づくことがある。

いろいろなかんがえを、そのばにだせてよかったです。

じぶんはこんなことをおもってるんだなとおもいました。

学校で発表したとき、間違ってると「ん？」ってみんながするから、発表する勇気がでなくて、あまり発表はしてない。

犬てつだと「ん？」ってならないから話しやすい。

犬てつ、好きか嫌いかだと、好き寄りなんだけど、1から10なら、今はまだ4くらいの好き。もっと勇気だせるようになりたい。

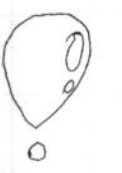

いっぱい考えられて、いろんな意見が話せて、聴けて、楽しい場所。学校は決まりがある。
犬てつにもあるけどそこまで厳しくないし、何やっててもいいから犬てつの方が好き。
最初は自分の意見を言うのをおさえ気味だったけど、みんなが色々話すから
何でも話していいと思えて、学校とそこは違うと思うようになりました。あと

学校の先生に対しても、おかしいと思ったことは
おかしいと言えるようになった。

志帆さんの進行のいいところは、自分の意見を言ったままで
終わらせられないこと。それに対して「意見ある?」って聴いてくれたり、
志帆さんの質問を返してくれたりする。そうしてくれないと「発言したという実感」が持てない。
発言しただけで、その後すぐに他の子の発言や、別の話題になってしまうと、
発言した実感がもてないし、悲しくなるし、発言したくなくなる。

自分の意見や思ったことをしっかりじゃなく
中途半端でも話していい場所。

注意されたり怒られることなくしゃべれて、自分にとっては良かった。
別々の意見が言えて、話しちゃった後でも戻って話すことができた。
学校で発表するときや意見を聞くときに、犬てつを思い出してやれた。
学校だと正解不正解があるけど、
犬てつだと正解も不正解もない。
あと、アキさんへ。第一にありがとう。
犬てつでしほさん見つけてきたのはすごいね!

どうして、そう思うんですか?
本当に、そうなんですか?って
問うのが面白い。

みんなのいる意味を感じるところ。
新しい世界に踏み出せる場所。

いろんな人の意見を聞けて、考えを深めることができる。
自分は「自分の意見が正しいはず」と思っている。
それは間違ってないけど、他の人の意見を聞くことで、
いろんなことの可能性を考えることができる。それに、

いろんな人の意見を聞くことで、
もっといいことを考えることができると思う。

おとなのみなさん、教えてください。

犬てつってどんな場所？

てつがく対話の場では、自分の心の奥にあった「間違ってはいけない、
矛盾していてはいけない」と考えている自分と、常に向き合うことになりました。
他人の発言を聞いて自分自身の考えが思わぬ方向へ変化することには驚きました。
また、それを受け入れてもらえた上で、今度は自分の発言によって
周囲の人達の考えが変化していくのを目の当たりにする中で、
自分自身が違ったと感じたことも、正直に言えるようになり、
矛盾も間違いも怖くなくなったと感じています。

**子供達の発言にはハッとさせられてばかり。
物事を知っていることで必ずしも正しい判断を
できるわけではないことを痛感しています。**

「強い、弱い」「合っている、間違っている」はなく、
相手の側から考え、耳を傾け、自分の考えの変化を恐れない。
自分自身の生き方を考える上で大事なことを学べる場だと感じています。

親としての変化は、てつがく対話の場で
それってどういうことだろう？ こういうことかな
なるほど〜などを重ねることで、
こどもに話をして伝わらない時に

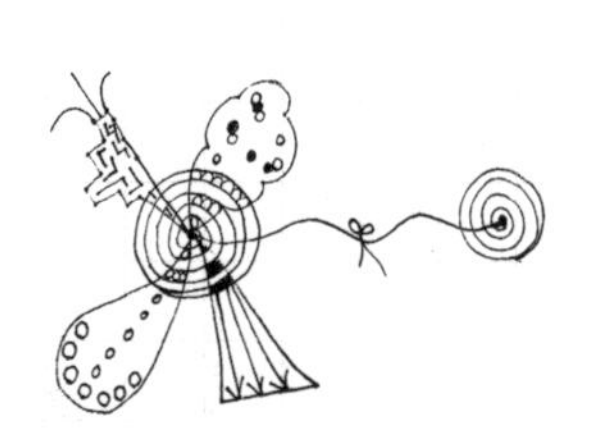

**意味が通じないのは共通の捉え方をしていないのかも?
と、伝える言葉を選んだり、例えをだしたり、
意味の確認をすることが増えてきました。**

それと反対に、こどもがなにかを伝えようとするときは、
最後まで話を聴きたいと思うようになりました。
相互に伝わりあうことが増え、日常のやりとりに変化が起きています。
回を重ねるごとに自然にみんなの話を聴き、自然と話せる姿を見て
こどもはだんだんと表現したいことや伝えたいことと
発する言葉が一致してきているのかな、と感じています。

子どものころ、「人前で自分の考えを言う」行為は、
合ってるか間違っているか、良いか良くないかのジャッジがずっとあって、
自分の考えに対して不安と緊張がありました。
犬てつに参加するなかで、その根深い不安感に改めて気づきながらも、
考える行為を共有する時間はとても面白く、そこに集中すると、

自分にも人にもジャッジが消えて、
徐々に解放されていく感覚があります。

自分で自分の「心の安心安全」を創れること、創り続けていけることは、
人と一緒に社会で生きていく上で、とても大事な生きるチカラだと思っています。

話すのが苦手だから、てつがく対話なんて嫌だなぁって正直思ってました。
でも、話を聴いて、感じて、考えることが大切なんだよって教えてもらって
発言しなくても場に受け入れてもらえると思えることがとても嬉しかった。
苦手なはずなのに、聴いていると、じんわりと「この場に話してみたい、
聴いてもらいたい」という気持ちが込み上げてくるのが自分でも驚きで。

いい・悪いで判断されない。言葉を待ってもらえる。
そんな場所なら話したり考えたりするのって楽しい。
そんな経験をこどもも自分もできてよかった。

違う意見をもった人と話すのって
楽しいことなんだって大人だけど初めて思えました。

犬てつに行くようになって変わったこと。

最大の変化は「分からない」と言えるようになったこと。

もちろん、今までも分からないことはありましたが、
それは自分の外に原因があると思って(思い込んで)いました。
でも、哲学対話のたびに分かっていたはずのことが
分からなくなる体験をするとそんな考えは変えざるを得ません。
犬てつでは、知識や経験はあるはずの大人が考え込むシーンが何度もあります。
「そう言われてみればなんでだろう〜。考えたこともなかった」と何度呟いたことか。
そこから見えてきたのは「分かるための方法は分析だけじゃない」ということ。
理論や知識で緻密な分析をすることではなく、
特に大人にとって大切なのは分かったつもりになって問いを止めないこと。
それが哲学的な態度なんだと思うようになりました。

大人とこどもの対等な関係

私は哲学対話の、大人もこどもも関係なく「対等」に対話をするところが好きです。犬てつにおいてもそれを大切に実践してきました。多様な参加者が対等な立場で対話を試みると面白いことが起こります。大人の中には、本人の意に反し「母親の私」「妻の私」「仕事の私」など自分の属性への依存度が高く、思うようにただの「私」になるのが難しい参加者がいたりもします。

それに引き換え、こども達は、ただの「私」を体現するのがとても上手です。大人もこどもも一緒にスタートした哲学対話でしたが、こども達が予想以上に戸惑いなく哲学することにも対話することにもどんどん馴染んでいったのに対し、大人たちのあいだでは、こども達に遠慮して意見を見合わせるといった現象が起こっていました。

哲学対話をする際には「何を言ってもいい」と同時に「喋らなくてもいい」ということも伝えるので、そのことを否定することも変えようとすることもありませんでした。しかし、それから3年ほど経った今では、大人が必死で発言の順番を取りに行こうとする様子をよく見かけますし、大人がこどもの問いかけに本気で頭を悩ませる姿も毎回のように見られるようになりました。大人がこどもに遠慮するというのは、一段高いところからこどもに手加減してあげるということであり、こどもを対話の相手として対等に見ない敬意に欠ける態度だったように思います。大人がこどもに敬意を払うようになったことでこどもと対等になった結果、大人とこどもがより「自由」に対話をすることが叶うようになったと言えるのではないかと思います。

哲学対話には何を言ってもいい自由はあるのか

ありがたいことに参加者も増え、主催者、進行役、そこに参加してくださる全ての人と変容を分かち合いながら歩んできた犬てつですが、事件が起こります。3年目の最終回「犬てつするってどういうこと？」のレポートに収録されている出来事です。

ふかふかの土壌から芽生える自由／安本志帆

みんなのてつがくCLAFA

このテーマを選んだ背景には、少し前から私と主催者のアキさんの間で、「哲学対話って、犬てつって、何を言ってもいいと言っているけど、本当に何でも言っていいのかな？　犬てつでは、みんなが本当に何でも言えているのかな？」という問いが持ち上がっていたという経緯がありました。三年目の締めくくりとして、そのことを改めて問い直そうとした機会に、当初は予想もしていなかった、けれどもこの問いの本質をえぐるとも言えるような事件が起こりました。リアルタイムの対話中に、あるこどもが泣き出したのです。あの時の対話は本当にとても重く、苦しく、しんどいものでした。どれほど沈黙が胸に突き刺さったか知れません。明らかにこどもも大人も表情がいつもとは違いました。泣きながらも場に開いてくれたこどもの全身全霊のアクションは、私にもグサっと刺さり、とても痛くて逃げ出したくなりました。「泣きたいのは私の方だ」とさえ思いました。私の心が痛くなった理由は、こどもを泣くという行為に及ばせてしまったのは私の進行の仕方のせいなのかと自責の念に駆られたことと、泣かせてしまったという罪悪感と、自分の未熟さに恥ずかしくなってしまったことからです。冷静に考えれば、「泣く」という表現以外にも傷ついている人は今までにもいた可能性はあるのに、こどもを泣かせることは悪いことだ（泣かせていなければ良い）という思考に瞬間的に陥ってしまったことも恥ずかしさの要因のひとつでした。

その後の対話は、こども達の意見の中に激しいコンフリクトを生みました。こども達は必死で自分のこととして考えながら、「自由のためにルールはある」という立場と「ルールがあると自由ではなくなる」という対立する二つの立場を吟味します。このコンフリクトはそこにいた全ての人を巻き込み、対話を善意からなる予定調和的なものにとどめることなく、お互いに批判し合える場に変容させました。でも、結局、共通理解として得られたのは、自分達が向き合おうとしたこの問いが超難問であるということだけで、後味が悪く、しんどさを引きずる程の体力を要する対話でした。実際に嫌な想いをして泣いている人を目の前に自分達の態度を問い直したのは言うまでもありませんが、逃げずに対話をしつづけることの苦しさや意義は、「これぞ哲学対話だ」と言うよりは、「哲学対話をせざるを得ないとはこのことだ」と言う方が相応しいと感じた出来事でした。

配慮されるべき人は誰なのか

私にはそもそも、配慮の必要な人には個々に応じた配慮をすべきだという強い信念があります。それは、我が子が発達障害の当事者だから、そうしてもらいたいという当事者側の気持ちの表れなのだと思っています。私が哲学対話を学び始めた経緯も、我が子の社会での生きづらさの軽減の為に必要なものだと確信したことが関係しています。そのような背景から私には、社会的弱者を社会的弱者にしておきたくないという強い思いがあると自覚しています。その思いが少なからず働くことによって、普段学校生活において、学校のシステムには合わず理解が追いつかないように判断され評価されない子や、創造的な思考に長けているにもかかわらず長時間は座っていられない子、言いたいことを言うと嫌われてしまう子など、生きづらさを抱えているこども達に目が行きがちで、そうしたこども達が犬てつを安全な場所だと感じている可能性はあるとは思います。その反面、そうでないこども達にとっては、同じように個々に配慮をしているつもりではあるものの、本当に個別の配慮の行き届いた空間になっていたのでしょうか。この出来事は、そのことを問い直す大きな機会にもなりました。

私の思いと実践について改めて問い直し始めると、こどもに限らないどんな属性の人たちとの対話の場でもこども達と同じ類の問いに悩まされることとなりました。参加者の中には大人であっても要領を得ない話をする人がいます。その場合、私はできるだけ発言者の言葉を忠実に捉えようとします。わかりにくい言葉や飛躍していると思われる部分について質問をし、進行を続ける上で私の解釈が間違っていないかを確認するのです。そうすると、私が発言者の意図を理解しきれていなかったことが明確になる場合もあれば、それとは逆に、質問の意図が理解されず噛み合わない回答がなされることもあります。そのようなやりとりを続けるなかで、時に、この人は自分の話を聞いてほしいという欲求を強く持っていて、それを満たしたいのではないか、と感じることがあります。その場合は、その先の質問をしないことがあります。一方で、更に質問し続けることで、より面白い視点や意見が引き出せそうだと感じた場合は、何かを掴むまで質問をやめないこともあります。

その判断の根底には、自分が聞いてもらいたいことを話し続けることと、哲学対話のルールにある「何を言ってもいい」は同義ではないという私自身の考えがあります。しかし、そうした判断を下す時、本当に参加者の意見だけを聞いて判断しているのか、人を見て恣意的に問いかけを続けるか続けないかを決めていることはないのか、という反省が湧いてきます。同時に、以前参加者から言われたことがある「志帆さんに質問をされることでケアをされていると思えた」という感想も思い出されます。その感想は一見私を心地良い気分にさせるものです。しかし、逆に言えば、問いかけをやめられた人はケアをされない人になってしまう可能性があります。それでは、ケア的な態度を貫いているとは言えないのではないでしょうか。

もしも、人の特性による違いを見て進行役が判断や配慮をするとしたら、「何を言ってもいい」という自由を進行役が真っ向から奪うことになってしまうかもしれない上に、哲学対話の大事な要素の一つである、語りでケアされる機会すら与えないことになるのかもしれない。でも、その一方で、話したいことを話し続ける参加者への問いかけをやめることは、ほかの参加者が話すための時間を守り、語りでケアされる機会を与えているとも言えるでしょう。どちらを優先させるかの基準を設けない限り、この問題には答えが出せそうにありません。

対立のなかに 他者と自己を発見する

「何を言ってもいい」ということは、哲学対話の場において叶えられているかのように語られますが、少なくとも犬てつでは相当難しいことであるというのが私の今のところの結論です。主語が「みんな」になると更に実現可能性が下がります。私の進行役としてのキャパシティの問題が往々にしてあるのは自覚した上で、参加者のあいだに、いつの間にか「暗黙の了解」ができてしまうのも気のせいではないように思います。たとえば、こども達であれば、手をあげた時に順番が回ってきやすい子とそうでない子がいつの間にかできていたりします。また、犬てつとは少し離れますが、街中の哲学カフェであれば、その場その場に敬遠される常連さんの存在があったりします。そうしたことも、「何を言ってもいい」という自由が叶えられていないことから生じるのではないでしょうか。

哲学することや対話することは、楽しいばかりではないと思います。楽しいだけで毎度やり過ごせたとしたら、それを「哲学する」、「対話する」と呼べるのか吟味する必要があると思います。誰一人として同じでない人間の、世界の見え方や感じ方が同じであるはずがありません。こども達は3年間、哲学対話と真摯に向き合い、辛くて気の重い、大人でも逃げ出したくなるほど緊張感の走る対話の時間を初めて体験しました。

なぜ我々は辛かったのでしょうか。目の前で友達が泣いていたのですから平常心ではいられません。そして、その混乱や困惑がきっかけとなり、「自由」と「平等」という両立が難しそうなテーマに基づいて現実を捉えようとし、批判し、代替案を考えようと挑戦したわけですから辛くなるのも当然です。

自分達が感じる違和感や気持ち悪さを「嫌だ」という感情で表したり、誰かの気持ち悪さを皆で丁寧に扱ってみたりすることで、別の誰かのことが見えてきます。そしてその別の誰かの存在はエンドレスにつながっていることがわかってきます。その経験は、こども達がこの先、民主的、共同的な意思決定を迫られた時、決定の仕方に影響を及ぼすのではないでしょうか。それはきっと、地域や国を形成する市民の一人として、自分がよりよく自由に生きるための自覚的な振る舞いに繋がってゆくはずです。

哲学対話におけるまなざしの意味

私にとっての哲学対話とは単に「楽しさ」を追求するものではなく、こうした「自由」や「平等」といった民主主義の根幹を考えることでもあります。幼児教育に携わってきた経験から、そうした対話を生み出すためには、どのような「環境」を整えればいいかという観点から考えようとする意識が常に働きます。

犬てつでの対話は、参加者分の座布団を車座スタイルに事前に配置することからはじまります。配置された座布団の上に当たり前のように座る参加者もいますが、車座からの出入りを自由に繰り返すこども達もいます。終始押入れの中にいて、気が向いた時にちらっと顔をのぞかせる子や、積み上げた座布団の隙間に身体を隠しながら話を聴く子、棚の隙間に全身を隠しながら参加をする子もいます。車座になっていても、大人と同じように座布団に座っている子もいれば寝転んで参加する子もいます。

座布団に座らず参加しているこども達と私は、視線を交わすことで言葉を使わない対話をしています。その視線は背後に意味を持ち、時として言葉として表現されている対話をも動かすことがあります。子ども達は、対話中どこからともなく車座の中にやってきて、おもむろに手を挙げ、コミュニティボールを持ち、言いたいことを言い終えるとまたすぐに自分のお気に入りの居場所に消えてゆくなんてことを頻発させます。別の場所にいても対話を感じているこども達は自分が気になるトピックの時、ふらっと良い塩梅でやってくるのです。視線を交わす「まなざし」は、ちょっとした非言語情報のやり取りではありますが、私もこども達も互いにそれをただの眼球の動きと認識していないのは明らかです。このことを私は現象学者のマルク・リシールがいう「知覚的空想」の概念で考える試みをしているところです。

それらの現象を私は昔から「信頼」という言葉で表現してきましたが、今は「信頼」という言葉はこの状況を表現するには曖昧すぎるように思っています。それは、「まなざし」が現れたり消えたりするような、つかみどころのないものでありながらも、場に与える情報としての質や量は具体的なものとして存在しており、「信頼」といった曖昧な言葉よりも伝えるものが多いということを日々の実践から感じているからです。

「まなざし」で存在を示したり想いを伝えられるということは、言葉を使わなくても良いという意味での「自由」と、何も喋らなくても良いという「自由」を叶えることができます。この「自由」は対話に参加する各々の、心の安全性も担保させるように思います。身体の自由を対話における重要な要素として保証される犬てつでの経験は、こども達に心の安全性(自由)を与え、少しずつ勇気を持って批判を含めて言いたいことが言い合えるようになる、いわば、対話の基礎を築きます。

対話が深まりを見せるのは、その基礎の上で、一人ひとりが、能動的に居場所や伝え方を選び参加することで、探求の共同体の一員であることをより自覚させるからではないでしょうか。これは犬てつにおける哲学対話の要素としての必要な環境と言えそうで、豊かな対話を創り出す為のふかふかの土壌づくりのようなもので、私がとても大事にしていることです。

身体の感度を上げる場としての犬てつ

私にとって犬てつは、私の身体の感度を上げる場でした。対話中に生まれるちょっとした心のざらつきや言葉のひっかかりもさることながら、一度に受け取る情報量の多さに、処理しきれないもどかしさを抱えながらも、必死でそれを味わおうと試みた3年間でした。他者を「本当」には知りえないことを頭では理解していても、知ろうとする気持ちは大きくなり続けてきたように思います。実践を重ねる毎に、振り返りのポイントが多岐にわたるようになりました。

他者を知ろうとすることは少しずつ、私の話の聴き方を変化させました。一人ひとりが選ぶ言葉の背後にはその人の感情があり、テーマや問いによってはそれぞれの人生観があらわとなり、言語化できない違和感のようなものをも含ませながら、彼らの身振り手振り口ぶりといった身体表現と混ざり合います。私は耳で聴こえるものだけでなく、それらすべてを取り逃がさないように、自分の全細胞を使って聴こうとするようになりました。それらを全身で受け取るために、揺れ惑わされない肉体であり精神であることも心がけるようになりました。とは言え、相手の身体から発せられるすべてのものを感じ取ろうとすることと、それに耐えうる自分の肉体や精神を両立させることは本当に難しく、犬てつは私にとって、聴くということの鍛錬の場であったと今思い返しています。

私は哲学対話の要素として一番必要なのは「話が聴き合えている」状態にあることではないかと思っているのですが、これは簡単ではありません。哲学対話における「語り」の背後には、その人の身体性が「関所」のように待ち構え、なかなかスムーズにその人の位置に立つことを許してはくれません。「語り」をその人の位置で聴くためには、相手の身体性という「関所」を越え、相手の立ち位置に近づこうとすることを要します。それは意図的に近づこうとする「行為」というよりは、まさに哲学対話の中でこそ生じるような意図せぬ「現象」と言えるのではないかと考えています。

その「現象」を意図的に起こそうとすることは私にとっては相当に難しいことで、「現象」を起こそうというよりは、その「現象」に出会うために、自分の身体の感覚に敏感でいようとし、精神を健やかに保とうと心がける自分がいるほどです。それと併せて、対話における「環境設定」の質が問われているように思います。参加者の個々の心理的、身体的特性だけでなく、その文化的な背景、言語性といった様々な違いを鑑みつつも、哲学対話を「話を聴き合えている」探求の共同体として開いていくために、このふかふかの土壌づくりを丁寧におこなうことがとても重要な要素なのだと私には思えるのです。

第二章　てつがくするとはどういうことか？

1. ホントにホントのホントが知りたい！ / 松川えり

2. ほんとうに、こどものためのてつがく？ / 高橋綾

3. 哲学するとはどういうことかについて、私が語れる2、3のこと / 三浦隆宏

4. ファシリテーターに哲学の知識はどれほど必要か？ / 河野哲也

Q

実践者、研究者、生活者としてのご自身の経験に根差した観点から、
「てつがくすること」についての意味やお考えをご執筆ください。
「てつがくすること」にとって重要と思われる書籍をご推薦ください。

1. ホントにホントのホントが知りたい！

てつがくやさん　松川えり

あなたがはじめて哲学をしたのは、いつですか？
それはどんな哲学で、それが“哲学”だと気づいたのはいつでしょう？

わたしのはじめての哲学は、10歳のときのこと。きっかけは、国語の教科書に載っていた「花を見つける手がかり」という文章でした。そこで紹介されている実験によると、モンシロチョウは形やにおいではなく色で蜜のある花を見分けているけれど、赤色は見えないそうです。つまり、モンシロチョウがみている世界と、人間がみている世界は全く異なる色合いを帯びている。さらに調べてみると、ミツバチの色覚について書かれた本には二枚の写真が添えられていました。一枚は、わたしがふだん見ているのと同じ黄色いタンポポ。もう一枚は、「ミツバチがみている世界」というキャプションが添えられた、全く同じ形の青紫がかったタンポポ（おそらく1枚目の写真が加工されたもの）でした。それをみて、わたしのなかに素朴な疑問が生まれます。

昆虫に見える色と、人間に見える色、どっちが本当なの？

モンシロチョウやミツバチになったことがあるわけでもないのに、
モンシロチョウやミツバチにはこう見えているなんて、どうしてわかるの？

そこから、生物の眼の構造や光の波長に注目することもできたでしょう。しかし、10歳のわたしの好奇心は、そうした科学的な関心とは全く別の方向に向かいます。

よく考えたら、そもそも、人間同士だって、同じように色が見えているとは限らない。同じタンポポを前にして、「これ黄色いよね」「うん、黄色いね」という会話が成り立ったとしても、「黄色」という言葉で指しているその色が、同じように見えているとは限らない。「黄色」という言葉で指している色が、わたしと相手とで全然ちがう可能性だってある。相手がその色を認識しているかどうかは実験で確かめられるかもしれないけど、相手にその色がどう見えているかは、確認しようがない。とすると、これまでわたしが「本当の色」と思っていたものはなんだったのだろう？ 本当の色なんてものはこの

Profile：松川えり　岡山を拠点に、カフェ、公民館、福祉施設、病院、学校などで哲学対話を提供するフリーランスの「てつがくやさん」（哲学プラクティショナー）。カフェフィロ副代表。共著として、『哲学カフェのつくりかた』（大阪大学出版会）、『この世界のしくみ 子どもの哲学2』（毎日新聞出版）など。毎日小学生新聞にて、「てつがくカフェ」連載中。

世に存在しないのかな？　いや、とはいえ、タンポポを指して「赤いね」と言われたら、間違っている気がする。やはり、タンポポは「黄色い」が「正しい」。だとしたら、その「正しさ」ってなんだろう？　何が本当で何が本当でないか、わたしたちはどうやって判断しているんだろう？　もしかして、真理や真実って言語の次元にしか存在しないものなのでは……。

このように、それが「哲学」と呼ばれることも知らず自然と哲学してしまう人を、わたしは親しみを込めて〈てつがく癖のある人〉と呼んでいるのですが、当時はそれが「哲学」だなんて知りません。それでも、自分がなにかそれまで経験したことのない知の経験をしているなということはわかりました。

それまでわたしの知っている真理は、いわば科学的な真理でした。でも、いま自分が考えたことは、どう考えても科学の枠組みからはみ出している。しかし、だからといって、自分の考えが間違っているとも思えない。何度考え直しても、同じ思考に辿り着いてしまう。それは、科学的な真理の奥にある、別の次元の真理にはじめて触れた瞬間でした。後に出会った三木清の『哲学入門』では、科学と哲学のちがいが次のように述べられています。

> 科学は物の原因を研究するにしても、自己自身の拠って立つ根拠は反省することがない。[中略]科学の前提となっているものを究め、その根拠を明らかにするのが哲学である。（三木清『哲学入門』）

> 科学が客観的な見方に立つに反して、哲学は主体的な見方になっている。主体的に知るというのは、対象的に知ることではなく、自覚的に知ることである。（三木清『哲学入門』）

哲学の知は、客観的な見方にたつ科学とは異なるけれど、だからといって主観的というわけではありません。「哲学（philosophy）」の語源は、「知（sophia）」を「愛する

(philein)」ことと言われていますが、「ホントにホントのホントのことが知りたい！」と内から湧き上がる好奇心に身を委ね、「なんで？」「そもそも？」「本当に？」といった疑問に向き合い続けると、やがて自分の外にある対象を通り越し、その対象を見つめる自分自身の認識の前提や枠組みに気づかされます。それが三木の言う「主体的に知る」こと、「自覚的に知る」ことです。

ソクラテスが「無知の知」という言葉を残したように、それは同時に、自分自身の知の限界を自覚することでもあります。だから、もしかしたら、こうした知の探求に、己の限界を突きつけられるような怖さを感じる人もいるかもしれません。しかし、わたしは、むしろその限界に自由を感じました。

他者にこの世界がどう見えているかは、確かめようがない。突き詰めれば、真理は言語の次元にしか存在しないかもしれない。しかし、それは、「正解」か「間違い」しかないと思っていた世界の見え方が多様であるかもしれないということ。同じように見ている花が、木々が、空が、他者にはちがうように見えているかもしれない。そう思うと、毎日通っている通学路も新鮮で、昨日まで当たり前のように見ていたものを新鮮に感じられるというそのこと自体に、大きな解放感を覚えました。

もし10歳のわたしが「哲学」という言葉を知っていたら、あるいは、こうした探究を誰かと共有する楽しさを知っていたら、きっと自分が考えたことを大喜びで誰かに話したでしょう。しかし、三木清の言葉に触れ、それが「哲学」だと知ったのは、ようやく14歳になってからのこと。残念ながら、小学生のわたしは、「哲学」という言葉もそれを共有する楽しさも知りません。だから、「真理の秘密を解き明かしてしまった！」と自分の発見にワクワクすると同時に、恐ろしくもなりました。

こんなことを考えているなんて知られたら、アタマのおかしい子と思われるかもしれない。このことは黙っておこう。

それでも、一度、客観的真理の奥にある別の次元の真理の存在、当たり前が当たり前じゃないかもしれないことに気づいてしまったら、「なんで？」「そもそも？」「本当に？」……隠そうとしている〈てつがく癖〉は漏れ出てしまうもの。その度に、いろんな人に「考えすぎだよ」、「そんなに深く考えなくても」、「それ考えて、何か役に立つことある？」と一刀両断されてきました。なかには、わたしのことを心配して、親切心からそう言ってくれた人もいるでしょう。

しかし、てつがく癖のある人は考えようとして考えているわけではありません。役に立つかどうかなんて判断する間もなく、息を吸って吐くように、疑問は次々と湧いてくるし、疑問が湧いたら考えずにはいられない。てつがく癖のある人にとって、哲学することは呼吸をすることと同じぐらい、自然なことなのです。だから、「考えるな」と言われると、「息をするな」と言われているような息苦しさを感じてしまう。そして、「考えるな」と言われないよう、その癖を隠すようになる。

どうも、そんな人が他にもたくさんいると気づいたのは、大人になってからのこと。

現在、わたしは、カフェや本屋、公民館、福祉施設、病院、学校など様々な場所で様々な人たちに対話をとおして哲学する機会を提供する〈てつがくやさん〉を生業にしています。その奥には、てつがく癖のある人たちを、なにより自分自身を、孤独な息苦しさから救いたいという思いがあります。

フランスの哲学カフェでは、進行役は「アニメーター(animateur)」と呼ばれているそうです。「アニメーター」と聞くと私たち日本人はテレビや映画館で観るアニメの製作者を思い浮かべますが、もともとは「魂(anima)」の派生語で、動詞の“animer”には「息を吹き込む」、「生き生きさせる」といった意味も。実際、てつがく癖を隠して生きるのは、息苦しい。だから、てつがく癖のある人は、堂々と哲学できる場に来ると、水を得た魚のように生き生きしだします。

ただ、疑問やモヤモヤを隠さず言葉にしていい、ラクに息ができる場。そういう場がみんなの身近にあれば……。しかし、「ホントにホントのホントのこと」を語ることは、常にリスクも伴います。役に立ちそうもないことを言って「変な子」と思われてしまったり、自分や他者の限界を暴いてしまったり……。

フランスの哲学者、フーコーは、真理を語るとはどういうことかを分析した『真理とディスクール:パレーシア講義』で、真理を語ることには危険が伴う。しかし、だからこそ、その危険を勇気をもって引き受けることが、その人が信じる真理を語っていることを示す証となると指摘しています。

わたしにとって、「哲学」は、その勇気を引き受ける勇気を、引き出してくれる言葉なのです。

【松川さんおすすめの3冊】

吉原順平『モンシロチョウのなぞ:身近な虫たちの不思議』金の星社、1976年

三木清『哲学入門』岩波新書、1976年

ミシェル・フーコー、中山元訳『真理とディスクール:パレーシア講義』筑摩書房、2002年

モンシロチョウやミツバチになったことがあるわけでもないのに、
モンシロチョウやミツバチにはこう見えているなんて、どうしてわかるの？

2. ほんとうに、こどものためのてつがく？

哲学プラクティショナー 高橋 綾

わたしが最近聞かれて困ることに、「もうp4cはしないのですか？」という質問があります。p4cを知らない方のためにこの質問の背景をお話しますと、p4cというのは、philosophy for children（こどものためのてつがく）の略称であり、学校や地域の公民館、美術館などで、こどもたちと対話し、ともに考える活動を指します。大人もこどもも、教師も生徒も対等な関係として話し合う時に、「友達って何？」「人は死んだらどうなるの？」などの哲学的な問いは誰も答えを知らないのでふさわしいということや、参加型教育や対話的、探究的な学びという教育のトレンドもあり、世界各国で行われている活動です。

わたしがp4cを知ったのはもう20年も前のことです。大阪大学臨床哲学研究室の大学院生だったわたしは、先輩方が参加した国際哲学プラクティス学会の報告で、「哲学カフェなどの活動とならんで、p4cという変なセッションがあったが、参加してみたら面白かった、どうやらこどもたちとてつがくをしている人たちがいるらしい」と聞いたのです。そこからこの実践に関心を持ち、海外の実践者や教室を訪問したり、先生たちと協力して小中高校でてつがく対話をやってみることを10年ほどしてきました。

そんなわたしですが、最近は、がん患者や女性支援センターでの対話をよく企画進行しており、学校での対話やこどものワークショップなどは数が減ってきたせいか、たまーに、そして久しぶりにあった教員の方などに上述の質問を投げかけられることがあるのです。そんな時、「やめてはいないのですが、お誘いがあまりなくて……」と話を濁して答えるのですが、ほんとうは、わたしが最近関わっているこどもや若者たち、というのは、なんというか、「てつがく」というこむずかしい言葉にあまり縁のなさそうな人が多いので、こどもに接してはいるのですが、そこでわたしがしていることは、いわゆるp4cではない、というのが正確な表現かと思います。

例えば、時々行かせてもらっている大阪市の学習困難校（エンパワーメントスクール）の「産業社会と人間」の授業。様々なアクティビティに混ぜて、コミュニティボールを作って話す時間も設けているのですが、ボールの話し合いの時間が一番評判が悪いので

Profile：高橋 綾（たかはしあや）大阪大学大学院博士課程修了（文学博士）。大阪大学COデザインセンター特任講師。学校や美術館などでこどもや十代の若者対象の哲学対話を行うほか、医療やケア、対人援助や地域づくりの現場において、対話を通じたケアのコミュニティの形成に取り組んでいる。著書に『哲学カフェのつくりかた』、『こどものてつがく　ケアと幸せのための対話』（いずれも共著、大阪大学出版会）などがある。

す。なぜかって？ この学校の生徒たちは、それまで学校でうまく馴染めず不登校になったりいじめられたり、家庭環境も難しい人が多いので、視線・対人恐怖や緘黙症、リストカットなどいろいろな困難を抱えていて、p4cで行われる全員が円になって話し合うような、全身が人目にさらされる場所が一番きついのです。簡単な質問をして、発言のターンを表すボールを回しても、「パス」「パス」「パス」……の連続で答えてもらえないのはいつものことです。すこし喋ってくれるようになったクラスで「他の人に、一言で答えて済むのではなく、なるべくたくさん話してもらえるような質問をしよう！」と呼びかけて、やっと質問を作ってもらったら、結構人気があった質問が「コンビニでよく買うものはなんですか？」だったので、心の底からびっくりしたこともあります。驚きがてつがくの始まりというなら、これも立派なてつがくの始まりではありましょう。

2018年の夏、一学期のまとめの授業にお邪魔し、「一年生の一学期、楽しかったこと、そうでなかったこと」という質問でボールを回していたら、いつもはパスするような生徒までが、よっぽど言いたかったのか、「このボールを回して話すんは、きんちょーするんでいややった」「二学期からはやめてほしいです」とそれまでにないほどはっきり意見を言ってくれて、嬉しいような悲しいような複雑な気分になりました。最後に「みんなが授業に対して自分の気持ちを話してくれたことはうれしかったです。でも、わたしはボールを回して対話する役で来ているので、たくさんの人がボールで話しするのはいややと言っていて、ちょっと悲しかったです」とわたしが率直に感想を言うと、すぐにちょっと元気めの女の子が「いややわー、せんせぇ、そんなに深刻にうけとらんとってよ！」と慰めのつっこみをくれました。他の人もそれを嫌な笑い（これもこのクラスには本当に多いです）ではなくいい感じで笑って聞いていて、私はその時、「ああ、もうこのクラスではボールを使って話すのはやめよう！」と強く思いました。

ボールを使った話し合いも、てつがく的に考えることも難しそうで、断念することになりましたが、わたしはそのことをあまり否定的には捉えていません。それどころか、あんなに話すのを嫌がってパスばかりしていた子たちが、「このボールを回して話すんは、きんちょーするんでいややった」「二学期からはやめてほしいです」とはっきり自己主張したことが、わたしは、自分でもびっくりするほど嬉しかった。これらの発言は、さぼりたいとか、クラスの人が苦手とかだけではなくて、この生徒たちがある程度感じ、ごくわずかながら考え、選択した自己決定の表明なのであるから、わたしはそれを尊重し、彼らの決定にしたがうべきだと思ったのです。

前のわたしなら、こんな状況に置かれたら、「ええー、でもせっかく（わたしが来てるん）やから、ボールで話し合いやろうやー」と言ったり、ボールを使って話を続けていけば、最後にはみんな楽しく話せるようになるはずと信じ込み、この誰にとっても苦行でしかない話し合いを続けたりしたかもしれません。でも、色々なこどもたちに接して来て、話し合いの円に座ることがそれだけで苦痛であるこどもや生徒もたくさんいるのだということ、彼らの声を聴かずにｐ４ｃという形式を押し付けること、それこそが一番ｐ４ｃの精神に反するのではないかと最近は思うようになりました。そんな時は、授業に参加してもボールを使わず、グループで紙芝居を作る作業の手助けをしたり、ゲストの話を生徒と一緒に聴くだけだったりしています。何のために……と思うこともありますが、彼らのためにそのほうがよいなら仕方がありません。

さらに、縁あって、別のところでは、シングルマザー家庭のこどもたちの学習支援ボランティアに関わりました。ここでは、小学生や中学生と一対一で勉強をしたり、教えたりするので、ｐ４ｃの授業で大人数のこどもを見るときとは違う一人一人の姿や生活面なども見えてきて、新たな発見もたくさんあります。ｐ４ｃの論文などでは「知識の教え込みではなく、対話だ、探究だ！」と強く主張してきたわたしが、（書くことにかなり意味の感じられない）税金の作文を手伝ったり、（自分も相当苦手な）算数、数学を教えたりしていると、われながらおかしくなるときもあります。

でも、このグループを束ねる支援者の方から、「小学校、中学校の勉強になんとかついていくこと、テストでそこそこの点を取ることは、お金のかからない公立高校に行って、ちょっとでもいい仕事に就くために、彼らにとって死活問題なんです」と教えられた時、わたしは頭を殴られたような気がして、すっかり考えを変えました。

ご存知のように、先進国のなかでも日本はこどもの貧困率が高く、17歳までのこどもの7人に1人は相対的貧困家庭で育ち、物や学習の機会だけでなく、こどもとして当たり前の色々な体験を剥奪されていると言われています。最近わたしの接しているこどもや若い人は、貧困だけでなく、当たり前の体験の剥奪や安心感の剥奪のなかで生きてきて、なんとか成長してきた人がたくさんいます。そのような人たちは、考えたり、人と話したりする以前に、声を出すことを奪われているように感じます。質問してもなんでも一言で答えてしまう、一言も答えない、というこども、若者たちは、考える力や話す力が一ミリもないわけではありません。声を出して聴いてもらえるという環境をあまりにも長く剥奪されてきた結果、そのように対応するようになってしまったのだと思います。

人生の初期でこどもとして当たり前の体験や安心感を奪われてしまった彼らの困難は想像を絶して大きく、わたしには、そんなこどもでもセーフな場で対話したら誰でもてつがくできるようになる！と言い切る自信はもはやありません。

必要なことは、まずは周りの大人が彼らの存在の声を聴くこと、聴けるようになることです。うつむいて頑として話さないこと、それも彼らの声です。何を聞いても「死ね、むかつく、ほっといて」しか言わないことも。病気のお母さんの代わりに家事をしているために学校では寝てばっかりいることも。平成っ子なのに髪の毛を昭和のヤンキーみたいに金髪、化粧をし、家以外の居場所を探して夜出歩くことも。腹が立つし、心配にも思う、そしてかなりの確率で、ダイガクのセンセイでもある変なおばちゃん（わたしのことです）は関わりを拒絶されるけれど、そこにそのこどものどんな声があるのか、聴こうとすること、拒絶されて困っても一緒にいて、一緒に困ること。わたしがしたい、しなければならないと思っているのはそんなことです。

こんなわたしも、10年くらい前は、日本のすべての学校にｐ４ｃ、てつがく対話が取り入れられたらいいなあ、と思っていました。けれども、いろいろな学校のいろいろなこどもや若者に出会って、すべての学校、こどもにｐ４ｃを必要だと主張するのは、少し違うのではないかと思うようになりました。目の前にいるこどもや若者がそれを喜ぶなら、それはそれでかまいません。でも、すべてのこどもたちにてつがくの対話を、と主張するのは、もしかして、てつがくが好きな人や、こどもにてつがくを「させたい」大人たちの側の希望であって、ある場合は、こどもや若者たち本人のニーズではないのではないかと、最近は思えてしかたないのです。

わたし個人は、どんな環境のこども、若者でも、まず必要としているのは、いわゆるｐ４ｃの方式で対話やともに考えることではなく、ケアされることだと思います。ケアされることとは、うつむいて話さないことや、学校では寝てばかりいること、「ボールを回して話すのはいやなのでやめてほしい」という声を、彼らの声や表現として真剣に耳を傾けてもらえることです。その意味では、かならず円にならなくてもいい、クラスの子と話せなくてもいいので、一人の大人でもいいから、彼らのその存在の声に耳を傾け、それでいいよ、ここに居ていいよ、と言ってあげること、こどもと誰かが対話し、ケアする場所は必要だとは思います。でも、それ以上のことは、時と場合による、と今のわたしは思っています。

先にも書いた通り、ｐ４ｃというのは、「philosophy for children こどものためのてつがく」という英語の略で、「for children こどものための」に含まれる、てつがくを「こども用にうすめて」行う、というニュアンスを嫌う海外の実践者のなかには、「philosophy with children こどもとともにするてつがく」という言葉を使う人もいます。わたしは、どちらかというと、後者に賛成だったのですが、でも、最近は、「目の前のこどもにとって必要なことのために」という意味でなら、「philosophy for children こどものためのてつがく」という名称もあながち悪くないのではないかと思っています。てつがくが「目の前のこどもにとって必要なことのために」なるならあってもよいけれど、そうでないときは、てつがくはなくなってもいい、くらいの覚悟を持って「こどものためのてつがく」を名乗るべきではないかとすら思うこともあるくらいです。とにかく、わたしにとって、大事なことは、てつがくではなく、今目の前の「こどものために」今何が必要なのかをその都度考えるということです。あるいは、こどもとする時だけでなく、てつがく対話にとって必要なことは、こちらの思うてつがくを「させる」ことではなく、相手の声や表現のなかに、ちいさなちいさな、その人なりのてつがくを聴き取ること、ではないかと思うのです。

※この文章は、p4c-japanの“p４c　かたろうかい”の記録冊子用に寄稿したものをリライトしたものです。

上に書いた通り、わたしの関心は、いわゆる「哲学」を相手にさせることではありません。てつがく対話あるいは対話にとって必要なのは、相手の声や表現の意味を真摯に聴きとる態度だけだと思っています。ですので、まずは、本よりも、自分が目の前にいる人の声や表現をどれだけしっかり受け取り応答できているかを振り返ることをおすすめします。わたしの場合、そうした振り返りの際に、指針を与えてくれるのは以下のような本です。

【高橋さんのおすすめの３冊】

寮美千子『あふれでたのはやさしさだった　奈良少年刑務所　絵本と詩の教室』西日本出版社、2018年

向谷地生良『技法以前―べてるの家のつくりかた』医学書院、2009年

P.フレイレ、三砂ちづる訳『被抑圧者の教育学』亜紀書房、2018年

3. 哲学するとはどういうことかについて、私が語れる2、3のこと

カフェフィロ　三浦隆宏

いまからちょうど25年前の1995年4月に、関西のある私大の哲学科に入学した。以来、学部の4年間と別の大学の大学院(臨床哲学というのが専門分野だった)の5年間、そしていわゆる「オーバードクター」としての8年間(非常勤講師として、関西圏の大学や高専、看護学校を駆け回った)を経て、名古屋のある女子大に哲学担当の専任教員として採用され、早8年。四半世紀をなんらかのかたちでずっと哲学と関わりながら生きてきたわけで、本稿で私が元手にできるのはこの事実だけである。

哲学との出会いは最悪だった。高校一年次に倫理が必修科目としてあり、南山大の哲学科出身というやけに熱心な中年の男性教師に倫理を習った。黒板に縦の線を几帳面に何本か引いて分割し、左から順に丁寧に板書してゆく。「ソクラテスは無知の知を……」云々、あるいは「アルケー」とか「アレテー」といったカタカナ語のオンパレード。人生初の受験を無事に終えた15歳の高校生には確かにかったるい内容だったのだろう。最初の中間試験で、唯一赤点(60点未満)だったのがこの科目で、結局一年間まったく興味を示さぬまま、なんとか単位だけは取って、おさらばした(はずだった)。

しかし、人生とはじつに奇妙なもので、一年間の浪人期間(河合塾という模試の現代文の解説がやたらと詳しい予備校に通うことで、評論文を読むのが好きになった)を合わせた3年後に、私はなぜか哲学科に入学してしまう(要はここしか合格しなかったのだが)。いま思うと、その哲学科の同期にはなかなか癖のある男子学生が多く(ちなみに一学年上の先輩に「笑い飯」の芸人・哲夫がいた。もちろん彼が著名になってから知った事実である)、入学早々「デカルトやカントを読もうぜ」と彼らが言っていたのを憶えている。しかし、私はどうもその雰囲気に馴染めずにいた。

当時の私はなぜ彼らと距離を感じたのか。ありていに言えば、哲学とは個々人にとって切実な「問い」について考える営みであって、そのような問いを持たずに(あるいは問いと無関係な)哲学書をいくら読んでみたところで得るものは少ないと考えていたのである。むろん青臭い考えだが、哲学における問いの重要性は、やはり看過できない側面もある。知りたい、分かりたいという欲求や希求の気持ちがないと「フィロソフィー」

Profile：三浦隆宏（みうらたかひろ）1975年三重県桑名市で生まれ、四日市市で育つ。1999年関西学院大学文学部哲学科卒業。2004年大阪大学大学院文学研究科博士後期課程単位修得退学。博士（文学、大阪大学）。椙山女学園大学人間関係学部心理学科講師を経て現在、同准教授（哲学・生命倫理学担当）。カフェフィロ副代表、日本アーレント研究会会長も務める。著書に『活動の奇跡：アーレント政治理論と哲学カフェ』（法政大学出版局）など。

は ― そして「哲学」という語はいみじくもこの「希む（フィレイン）」という意味を欠いているのだが ― 、「神即自然」（スピノザ）とか「永劫回帰」（ニーチェ）といった概念だけを知って悦に入る営み、すなわち「思想 Thought」の蒐集へとたやすく転じてしまうことだろう。

もっとも、ただなんでも問えばいいというわけでもない。子どもが両親に「なぜ、ぼく（わたし）は生まれてきたの？」と問うのはまだ良いとして、大のおとなが他人に問うのにはそれ相応のマナーが必要とされるはずだ。ときどき、哲学カフェの場で得意げに問うてばかりいる人を見かけると（そういうときは「あなたはどう考えますか？」とそのまま訊き返せばいい）、うんざりしつつ、ソクラテスの問答法はまずい問い方だったのではないかと思ったりもする。

ともかく学部の4年間は思う存分に自問自答に明け暮れたものだ。そして、ずっと出口としての答えが見い出せないままだった。そんなときに「臨床哲学」という哲学を大学のなかから解き放ち、社会へと接続する新たな試みが近くの大阪大学で始まったと聞いた（いや、目にしたのだったか）。当時、阪大の修士にいらした哲学科の先輩（および研究室は異なるが阪大院を修了し、97年の春から専任講師として在職していたK先生）を頼りに、98年の晩秋に阪大豊中キャンパスを初めて訪れた。金曜日の18時半から行われていた臨床哲学演習の授業にもぐるために、である。

あれからもう20年以上も経つというのに、そのときの教室の情景はいまも脳裏に焼き付いたままだ。教員や院生、そして学部生、また私と同様に臨床哲学という言葉に惹かれて大学の外からやって来た看護師や学校の教師たち。これらさまざまな世代の面々らが狭い教室のなかで、面と向き合いながら、ああでもないこうでもないと話し合っていた。その当時の私は、その授業をなぜ深い衝撃とともに受け取ったのだろうか？

ひと言でいえば、複数の他者らと言葉を交わし合いながら考えることの新鮮さとなるだろうか。当時の私は、自分の問い（それは実存的な悩みと言ってよい）にいちばん精通しているのはこの自分なのだから、自分自身がその問いにもっとも近いのだと思い込んでいた。そして、他人に自分の問いの切実さがわかるはずがないとすら思っていたのである。

けれども、これは出口のない堂々巡りに陥る危険性が高い。独りよがりな考えに疲れ、いつしかマイナス思考の泥沼に陥ってしまう。そこにあるのは、自分は哲学的な問いを必死に考えているのだという変な矜恃だけ。要は、考えるとは名ばかりの思い悩む日々……。

いま思えば、当時の私が抱えていた問いとはquestionではなくproblemのほうだったのだろう。前者であれば、答え(answer)を導き出すこともできようが、後者はそれを解く(solve)必要がある。つまり、こんがらがった糸を丁寧にほどかなくてはならないのだ(solveの原義は「ゆるめる」である)。たとえば、前述の「なぜ、ぼく(わたし)は生まれてきたの？」という問いであれば、それをquestionとして捉えると「両親がセックスしたからだ」が答えとなるが、子どもはその答えでは満足しないはずである。というのも、そこでその子が問うているのはproblem(あるいは「謎」という意味ではmystery)のほうであろうから。なぜ、ぼく(わたし)という存在が生まれてきたのか？ — これに答えを出すことなど(荒唐無稽な作り話でも信じないかぎり)できるはずがない。

そんなときに必要なのは、ともにその問題について考えてくれる同伴者としての他者や仲間たちなのではないか。そして、その他者や仲間たちは何も同時代を生きている人々には限らないことだろう。その場合には、他者＝仲間が書き記した「テクストを読むこと」が「哲学すること」と同義となる。つまりは、著者との対話である。その意味で、哲学科のカリキュラムにおいて哲学書を読む文献講読が相応の比重を占めるのもなるほどと頷ける(ようになったのは大学を卒業してからだったが……)。いわば思考の急勾配の坂道において歩を前へと進めるための補助車の役割として、である。一人で哲学する(そしてしつづける)ことは、イメージよりもずっと難しいことなのである。

……と、ここまで書いてその先がなかなか書き継げなかったときに、勤務先の入試監督である問題文を目にする機会があった。それは「入れ歯」を話のマクラに、口腔中の異物を言語の比喩として捉え、私たちは一生自分の言葉と馴染むことができないのではないかと述べつつ、「自分のヴォイスを発見する」とはどういうことなのかを問うてゆく内田樹さんの文章※だったのだが、監督業務をしつつも横目で興味深く読み、あらためて合点がいくことがあった。

それは、私が倫理からではなく、現代文から哲学へと進んだことの意味とでも言えようか。

内田さんの文章はその典型といっていいが、現代文＝評論文は、私たちの世界の見方(それは家や保育園・幼稚園、そして就学後の長い学校生活において知らず知らずのうちに固定化するように身についてゆく)を一変させるとまでは言わないにせよ、少しばかり揺り動かし、「こういう見方もあったのか！」と爽やかな思いをさせてくれることが多い。一例をあげると(私は20年以上勉強しているハンナ・アーレントという女性の政治思想家がいろんな著作を引用しつつ自前の文章を書いてゆくタイプの書き手であったため、その影響からか引用の多い文章を書きがちであるが、本稿ではなるべく引用を控えるよう言われているため、仕方なく過去の記憶を参照しつつ文章を綴っている)、私にとって最大の問いは「自己と他者」であった。この「私」という存在は何か？　なぜ私はこういう「自己」となったのか？　また、「他者」とはどういう存在なのか？　私は他者とどう関係性を築いていったらよいのか？ — これらの問いに悶々としながら大学生活を送っていた(14歳の少年が自己否定の思いをとめどなく吐露しつづけるアニメ「新世紀エヴァンゲリオン」がテレビ放映されたのは95年の秋から翌年の春にかけてである)。

そんな折の96年7月に一冊の新書が目に留まる。タイトルは『じぶん・この不思議な存在』。すがるように手に取ったその本で、著者は冒頭から「自己」とは「他者の他者」なのであって、自分のなかに「本当の自分」を探そうとしても答えは見つからないよと説きつづけていた。自分＝他者の他者という視点の変更。どうもはぐらかされているような気がする。そう思い、途中で読むことをやめてしまった。そして、(大学で開催されていたのだから怪しいものではなかったはずだが)自己啓発セミナーまがいのイベントに参加したりしながら、いつしか納得がいったのである。**自分のなかばかり覗き込んでいても自分の正体は掴めない。矢印の向きを変える必要がある**、と。そして、再び『じぶん・この不思議な存在』を手に取った。著者は臨床哲学を提唱し、その後私の大学院での指導教員の一人となる鷲田清一先生である。ついでに記しておくと、鷲田先生も内田さん同様、入試現代文でその文章がよく使われる書き手の一人である(ちなみに今年のセンター試験の現代文は、本書にも寄稿している河野哲也先生の文章だった)。

以上、本稿では「問い」の重要性と「他者」の必要性と「視点の変更」の効き目について述べた。すべて個人的な経験から記したことだが、少しでも一般的な要素を含んでいることを願う。

※「入れ歯でGO」http://blog.tatsuru.com/2008/03/30_1332.html

【三浦さんおすすめの3冊】

永井均(著)、内田かずひろ(絵)『子どものための哲学対話』講談社文庫、2009年
彼の『〈子ども〉のための哲学』(講談社現代新書、1996年)を読んだときには、その平易かつ深遠な世界に震撼したものだ。最近は、彼のもとで哲学することを実地で学んだ青山拓央、土屋陽介ら弟子筋の活躍も光る。

鷲田清一『大事なものは見えにくい』角川ソフィア文庫、2012年
安価に入手しやすい文庫を挙げたが、コロナ禍に翻弄される今の世界では、むしろ『濃霧の中の方向感覚』(晶文社、2019年)のほうが羅針盤としての役目を大いに果たしそうだ。哲学エッセイ集なので目次を見て、気になるものから読んでいけばいい。

東浩紀『テーマパーク化する地球』ゲンロン、2019年
およそ10年にわたり会社経営者と作家という二足の草鞋を履き続けた、平成の知の巨人の最新評論集。まさに21世紀の生きるソクラテス。彼の『弱いつながり：検索ワードを探す旅』(幻冬舎文庫、2016年)もたいへん示唆に富む名著である。

4. ファシリテーターに哲学の知識はどれほど必要か？

哲学者 河野哲也

子どもの哲学や哲学カフェなどの哲学対話を実践し、また同時に大学の教員として哲学を研究している立場から発言させていただきます。

日本で哲学対話を何かの形で実践している方の集まりで、しばしば議論されるのが「どれくらい哲学の知識が必要なのか」という問いです。しかし、国際学会ではそういう疑問はあまり聞いたことはありません。本稿では、この問題について考えてみたいと思います。

哲学対話ではファシリテーターと一般の参加者がいますが、一般の参加者には哲学についての特別の知識は要らないと思います。そもそも、ｐ４ｃでは、就学以前のお子さんたちとも対話をします。そんな小さな子どもに哲学の知識を求めるのは無理なことですし、そうした知識がなくても哲学対話は実施できます。

では、ファシリテーターはどうでしょうか。ファシリテーターがそれほど介入しなくても、参加者間でしっかりとした議論が行われるに越したことはないでしょう。しかし、ファシリテーターは全体の進行を把握して、議論があまりに停滞したり、相互吟味のないおしゃべりになってしまったり、一部の人たちで議論が進行して、他の人たちがついていけなくなったりしたときに適切に介入する必要があります。何よりも、その場の議論が哲学的に質の高いものになるように、議論に哲学的な刺激を与えなければなりません。そうした対話の司会進行役には、どれほどの哲学の知識が必要なのでしょうか。これには典型的には二つの考え方があります。

一つは、批判的思考や論理的思考、創造的思考があれば、特に哲学の知識は要らないという考えです。批判的思考とは、クリティカル・シンキングの翻訳語ですが、「クリティカル」とは、「根拠を検討する」という意味です。（クリティカル・シンキングの定義はしばしば長すぎて複雑すぎます。「根拠を検討する思考」という定義で十分です。）したがって、批判的思考とは、常識であれ、既存の知識であれ、慣習や規則であれ、「そのように考える（そのように行動する）根拠は何か」と問い直すことです。論理的思

Profile：河野哲也（こうのてつや）立教大学文学部・教授。博士（哲学）慶應義塾大学。専門は、現象学、心の哲学、教育哲学、環境哲学。代表作に『いつかはみんな野生にもどる』（水声社）、『じぶんで考え　じぶんで話せる』（河出書房新社）、『対話ではじめるこどもの哲学』全四巻（童心社）、『人は語り続けるとき、考えていない』（岩波書店）など。

考とは、推論として妥当なステップを踏んだ思考のことです。こうした思考力がありさえすれば、哲学対話のファシリテーションには特別に哲学の知識は要らないという人もいます。この考えに立てば、哲学的思考とは、すなわち批判的思考や論理的思考のこと以外ではないということになるでしょう。

しかし他方、もう一つの考え方があります。それは、ファシリテーターには哲学思想系の知識がある程度必要だという意見です。しかし「ある程度」とは、どの程度でしょうか。この分野のある高名な学者は、哲学科の学部を卒業したくらいの勉強量が必要だと言っていました。それは彼の経験から来る判断で、主要な哲学のテーマについて、どのような考え方があり、どのような論争があるのか、その歴史も含めて体系的に知るには、学部の専門課程を修めておく必要があるというのです。

しかしこの両方にそれぞれ問題があるように思います。まず前者の立場ですが、哲学的思考の特徴は、批判的・論理的・創造的である以外にも、二つあるように思うのです。ひとつは自己反省性です。哲学とはただ或る主張の根拠を検討するのではなく、自分自身の行動や、自分の行動が依って立っている社会的常識や制度の根拠を検討するものだと思います。いわば、「自分の足元を問い直す」「自らの日常性を考え直す」という自己反省的な態度です。その意味で、哲学とは自己変革を伴う思考活動です。哲学的思考は、自分自身が無自覚に身を浸している、当然視している考え・常識・慣習、あるいは、無意識の前提を考えるべきテーマとして取り上げます。そうした考えるべきテーマに気づくには、批判的思考法などを抽象的・一般的に身に付けるだけでは不十分に思います。自分自身の無意識の前提に気づくのは何よりも、自分と他者との比較によります。

他者との対話は、自分が何を当然視していたかについての気づきを与えてくれます。それも自分と非常に異なる、異質な他者との対話が重要です。しかし日常の人間関係では、自分の行動の根本をなしている前提に気づくほどの深い対話を行うことはまれでしょう。というのは、自己変革がなされるほど、一般的で全般的なテーマについて、日常場面において真剣で継続的な対話が行われることはまずないからです。たとえば、「なぜその職場を選んだのか」という対話は日常的に行われても、「なぜ労働するのか」という対話を行うことは稀です。そうしたことが普段の生活ではないからこそ、私たちは哲学カフェなど特殊な機会を作るのです。哲学書は深いテーマについての議論の宝庫です。哲学書では、普段の対話ではまず議論されない一般的で全般的なテーマについて論じられています。哲学書を読むことによって、自分の無意識の前提に気づくことはしばしばあるでしょう。哲学書は、その著者による自分の前提を問い直す努力の集積だといえるからです。哲学書の読解は、直接に相対することのできない過去の人々、遠方の人々との貴重な疑似対話の機会だといえるでしょう。別の言い方をすれば、自分とはずいぶん異質な他者と出会うことのできる簡単な方法が哲学書の読書なのです。

では、哲学の知識はファシリテーターにとって必須であり、学部卒業程度の知識は身に着けるべきなのでしょうか。私がここで引っかかるのは「知識」という言葉です。もしその知識なるものが「プラトンはこう書いていた」「カントはこう論じていた」というものであるならば、それは哲学的には意味のない知識に思います。哲学で必要なのは、プラトンの問いかけについて自分で解答しようとする努力、あるいはプラトンの問いかけに対してより深い問いを投げ返す経験です。すなわち、対話の経験であり、過去の哲学者と問いを共有し、それを問い続ける態度です。哲学の主張や議論を事実として記憶することは、哲学的思考にとって本質的ではありません。哲学対話のファシリテーターにとって大事なのはまさしく対話の経験です。それも自分の無意識の前提を、できる限り多様な角度から、できるかぎり異質な人々からの問いかけによって検討しなおす対話の経験です。過去の哲学者の学説を学ぶ意味は、そうした疑似的な対話の経験をするためです。哲学者と呼ばれる人は非常に突飛なことを考えついた人々です。普通の人なら見逃してしまう、私たちの生活と常識の大前提を疑った人たちです。彼・彼女たちとの疑似対話はファシリテーターにとって自分を問い直す豊かな経験となるでしょう。

しかし、哲学の学部や大学院で勉強した人が、かならずしも哲学的思考に秀でているとは言えないようです。自分の生きている基盤を問い直すという哲学的思考を忘れ、ある学派の中で与えられた問題を解こうとする受験優等生的な哲学研究者や、特定の哲学者のファンクラブのような研究者がいます。そういう人たちがやっていることは、学問としてまったく価値がないという気はありませんが、でも私には、哲学しているようには見えません。哲学は最も根本的に問いを立てることを本務とします。特定の哲学者や哲学上の立場の発想をそのままに受け入れることは、この意味での哲学からは遠いでしょう。権威への依存、先生への追従は哲学と正反対の態度です。それに哲学の知識といったときに、おもに西洋哲学あるいは中国哲学、インド哲学と世界の一部の文明の遺産しか扱わないことにも疑問があります。自分の足元をより根源的に問い直すには、さらに異質な文明や文化との出会いが必要でしょう。

さて、哲学のもう一つの特徴ですが、それは一般的・全般的・超領域的な問いを立て、それに対する答えとして、大きなビジョンを提示することです。大きなビジョンとは、宇宙観や世界観、人間の認識能力全般に関する主張、人間観、動物観、生命観、あるべき社会観や国家観、あるべき人間関係、あるべき道徳観などです。これのどれもがある大きなテーマについての大きな構想や広い射程の物の見方を提示しています。さらに、ある人間観に立って、それにふさわしい社会観や道徳観を示すこともできます。こうした大きな構想や物の見方は、ただ批判的・論理的に考える仕方を身に着けるだけでは不十分に思います。必要なのは、より一般的な問いを立て、さまざまなことをそれに関連させようとする包括性です。この思考の包括性は、やはりそうした包括性をもつ思考に触れていなければ得られないように思います。そのためにも、哲学の理論を数多く、広い分野にわたって知っておくほうがよいでしょう。

しかしこれについても、ただ既存の哲学の体系を記憶するだけでは足りないと思います。ある一貫した世界観を構築するには、一種の鋭い直観と、それを個々の分野に当てはめていく分析的思考力が必要です。これは、既存の哲学体系がどのように構築されたか、その手順を学ぶ必要があるでしょうし、日常生活の隅々まで一定の観点や視座から透徹して眺める一種の生き方を身に着ける必要があるように思います。

したがって、私の結論は、「学部卒業程度の知識が必要だ」というこの分野の権威の要求水準よりも、ハードルを上げてしまったのかもしれません。漫然と既存の哲学を知識として学ぶだけでは、ファシリテーターとしては不十分です。それらの知識を自分への問いとして引き受け、過去の哲学者たちと擬似的に対話し、自分なりの包括的な思考法をつねに行っている必要があると言いたいのですから。もちろん、哲学対話のファシリテーションをするのに大学の哲学専攻を卒業する必要は必ずしもないのですが、さまざまなテーマの哲学書を読んで、その著者の問いを自らのものとして引き受け、疑似的な対話を積み重ねる必要があると思います。

そこで「てつがくをする」にあたって重要な書籍ですが、私の独断で以下の三つを上げておきます。いずれも、包括的で、自己反省的な思考を育てるのに有益な本に思います。

【河野さんおすすめの3冊】

A.N.ホワイトヘッド、山本誠作訳『過程と実在』（ホワイトヘッド著作集 第10巻）松籟社、1984年

E.カッシーラー、生松敬三・木田元訳『シンボル形式の哲学』岩波書店、1989年

J.デューイ、松野安男訳『民主主義と教育』岩波書店、1975年

photo by Yosaku Minatani

対話がひらく未来の扉　おわりにかえて／ミナタニアキ

「人間」にはどうやったらなれるんだろう？

物心ついたときから言葉足らずで、まわりのこどもや大人たちの会話を、いつも不思議に観察しているようなこども時代を過ごしました。いつも外側にいて「人と人の間」にいる「人間」としての感覚があまりもてない。そんな私がこども時代にてつがく対話に出会っていたら、どういう風に感じただろう？　粘り強く問いかけられ、沈黙の時間も待ってもらえたなら、私はどんなことを口にしただろうということを、犬てつをはじめてから考えるようになりました。

効率化が求められる現代においては人と人との関係にもエコノミーの原理が適用され、ゆっくりじっくり話す時間をもつことがなかなか難しい。てつがく対話の際中でも、自分の話につきあわせて人の時間を無駄にしているんじゃないかと申し訳なさそうにする人や、問いに答えられないでいるこどもに早く発言するように圧力をかける親もいます。一方で、自分のなかから引っ張りだしてきたものではない借りものの知識であれば安心して長々と披露できる人がいる。大事にするべきものの順位がどこかで逆転してしまっているように感じます。

答えのない不安定さに対する耐性がなくて、すぐに解答を求めてしまう。間違っているかもしれないけど、という前置きをつけないと自分が感じたことを話せない。日常のもやもやっとすることにも蓋をして、考えないでやり過ごしてしまおうとすることにいつの間にか慣れてきている。こうした習慣が人からいろんな可能性を奪っているように思います。てつがく対話は「わからなさ」を前提として引き受けることによって、考えること、問うことの自由を手にすることができる、日常におけるアジール（自由領域・避難所）のような場です。

考えることと問うことは新たな一歩を踏み出す原動力になる。自分の感覚に照準をあわせ、そこから丁寧に言葉を紡ぎだすことによって、自分が拠って立つ土台が徐々にできていく安心感が生まれます。そしてその土台があれば、わからなさから生じる不安もわくわくするような冒険の前触れとしてとらえることができる。先の見えない世の中にあっては何が正解なのかわかりません。そうした世界で必要なのは、物事の正誤を見極め、正しい方向に向かって突き進んでいくことよりはむしろ、わからなさを引き受けること。その時々の状況に応じて判断し、人と人との間の折り合いをつけながら問題を共有し、決定までのプロセスを分かち合うことが、とても重要になってくるのではないでしょうか。

ここ最近の新型コロナの騒動によっても改めて突きつけられたように、これまでに築き上げられてきた近代型のシステムはほころびをみせている。新たな世界をこれからも生き抜いていくために、私たちはなお一層、自分も相手もケアしあいながら共生する術を手にいれた方がいい。ベーシックな生活の知恵や新たなテクノロジーをブリコラージュ的に組み合わせ、試行錯誤を繰り返して、人や技術、情報をつなぎあわせる新たな技法とプラットフォームを、自分たちで編みだしていく。そうすれば未来はきっともっと楽しくなるにちがいない。

犬てつをはじめたのも、何かの目的を達成するためではありません。当たり前と思っていたことの土台が崩れ、何が正しいのかもよくわからないなか、自分の足場を固めるための頼みの綱としたのが、私にとっては人とともに行うてつがく対話でした。わからなさを引き受けながらともに考える。そうした場が自分には必要だから作ってみようと、おそるおそる、でもわくわくしながらその一歩を踏み出してみたら、たくさんの方々が力を貸してくださいました。

進行役としてだけでなく、犬てつをともに作り上げてきてくれた安本志帆さん。進行役として犬山に足を運んでくださり、本書にも寄稿いただいた三浦隆宏さん、高橋綾さん、松川えりさん。犬てつへのエールをこめて特別寄稿くださった河野哲也さん。犬てつの一員としてアイディアをいろんな形でふくらませてくれた佐曽利吏佐さん、素敵なちらしや本書デザインを引き受けてくれたヤマダクミコさん。毎回看板の絵を描いてくれた有風さん。犬てつの活動をバックアップしてくれた犬山市や関係者の方々。そして、何よりも犬てつに参加して「こどもと大人のてつがくじかん」を一緒に紡いでくれたみなさま。本当にありがとうございました。わからなさを引き受けながらともに考える。そうした場を身近な場所から一つひとつ、これからも作りあげていこうと思います。

みなさんもよければご一緒しませんか?

Profile

著者プロフィール

Aki Minatani / ミナタニアキ

犬てつ主宰/インディペンデントキュレーター。高校を二年で中退し、京都で一年間暮らす。大検を受け、翌年東京大学入学。文学部を卒業後、ロンドン大学ゴールドスミスカレッジ美術科Certificateコース修了、東京大学大学院総合文化研究科表象文化論専攻博士課程単位取得退学。美術館で学芸員として働いたのち、フリーランスで展覧会のキュレーション、執筆、編集などの仕事を行う。2009年に犬山市に移住。楠本亜紀としての仕事の傍ら、2017年より地域に根差した活動の可能性を探ろうと、ミナタニアキの名義で、犬てつの活動をはじめる。過去、現在、未来が複雑に交差する場を対話と想像力を通じてほぐし、編んでいくような創造的な活動を行なうことを目指している。

Shiho Yasumoto / 安本志帆

哲学対話ファシリテーター/コーディネーター。みんなのてつがくCLAFA代表。元幼稚園教諭。幼児教育における5領域「健康」「環境」「人間関係」「言葉」「表現」の観点より哲学対話を捉え、幼児から大人まで、様々な人と哲学対話をおこなう。CLAFA対話のアトリエ、高浜市やきものの里かわら美術館、全国の小中高大学で外部講師として哲学対話のファシリテーターをつとめるほか、異業種間の哲学対話の企画運営や、当事者研究、哲学対話の個人セッション(哲学相談)もおこなう。河野哲也氏(立教大学)、三浦隆宏氏(椙山女学園大学)、村上靖彦氏(大阪大学)に師事。教育学、臨床哲学、現象学を通し、哲学対話実践における自らの問いを探求し続けている。

About Inutetsu

犬てつ(犬山×こども×大人×てつがく×対話)

犬てつは日常のなかで浮かび上がる問いについて、「てつがく対話」を通じてこどもと大人が一緒になって、じっくり考え対話する場です。愛知県犬山市を拠点に2017年より活動をはじめ、2018年に市民活動団体となりました。

http://www.inutetsu.org

※本書に登場するイラストの一部は、犬てつに参加したこどもたちが描いてくれたものです。

※2017-2019年度の犬てつの活動は、犬山市市民活動団体助成金採択事業です。

犬てつ叢書 1

こどもと大人のてつがくじかん

てつがくするとはどういうことか?

発行日	2020年7月31日　第一刷
著者	ミナタニアキ　安本志帆
寄稿	河野哲也　高橋綾　松川えり　三浦隆宏
編集	犬てつ(犬山×こども×大人×てつがく×対話)
装丁・デザイン	cuu design ヤマダクミコ

発行所　Landschaft

愛知県犬山市東古券224－7
http://landschaftpublishing.com
landschaft.info@gmail.com

印刷・製本　株式会社グラフィック

ISBN 978-4-910238-00-5

Printed in Japan
Published by Landschaft

ヤマダクミコ　cuu design（クウデザイン） デザイナー／アートディレクター。2001年より都内の出版系企業にて広告制作に携わる。2008年に犬山市に移住。フリーランスとして、紙媒体を主とした制作物の企画、デザイン、コピー、キャラクターデザイン、ロゴデザインなど幅広い視点からの提案を行う。犬てつでのアートディレクションのほか、「生きづらさ妖怪攻略BOOK」（株式会社ハートマッスルトレーニングジム）、「未来からの扉〜 2000年後のやきもの王国へようこそ！」（高浜市やきものの里かわら美術館）など。一般社団法人 未来の体育を構想するプロジェクトなどの哲学対話関連企画・研究会の広報物も制作。デザインを通じて、対象の見えづらい魅力をユニークにわかりやすく伝える作品制作を心がけている。

LANDSCHAFT